452

POÈMES SATURNIENS

CONFESSIONS

PAUL VERLAINE

POÈMES
SATURNIENS

CONFESSIONS

Chronologie, préface, notes
et archives de l'œuvre
par
Jean Gaudon,
professeur à Yale University

GARNIER-FLAMMARION

© 1977, GARNIER-FLAMMARION, Paris.

CHRONOLOGIE

1844 *(30 mars)* : Naissance, à Metz, de Paul-Marie Verlaine. Son père, Nicolas (1798-1865), originaire du département des Forêts (actuel Luxembourg belge) est capitaine au 2ᵉ Génie; sa mère, Élisa Dehée (1809-1886) est née à Fampoux, dans le Pas-de-Calais.

1851 : Après plusieurs changements de garnison (Montpellier, Sète, Nîmes, puis, à nouveau, Metz), le capitaine Verlaine démissionne de l'armée et la famille s'installe à Paris.

1853 *(17 avril)* : Naissance de Mathilde Mauté.

1854 *(20 octobre)* : Naissance de Jean-Arthur Rimbaud.

1858 *(12 décembre)* : Verlaine, qui est en quatrième au lycée Bonaparte (Condorcet), envoie à Victor Hugo un poème de vingt alexandrins, « La Mort ».

1861 : Mariage d'Élisa Moncomble, la cousine de Verlaine avec M. Dujardin, sucrier, à Lécluse, près de Douai.

1862 *(16 août)* : Verlaine est reçu au baccalauréat. Il passe ses vacances à Lécluse. En octobre, il prend une inscription à l'École de Droit. Il lit beaucoup, Baudelaire, Banville, Hugo, mais aussi Glatigny et Catulle Mendès, en qui il verra plus tard ses « éducateurs en même temps qu'en quelque sorte complices ».

1863 : Verlaine fréquente des cafés où l'on parle de poésie entre amis et quelques salons littéraires : celui de la marquise de Ricard, boulevard des Batignolles, où fréquentent Mendès, Coppée, Anatole France, Villiers de L'Isle-Adam, Heredia, Valade, Dierx et quelques musiciens, comme Chabrier. Il sera également assidu chez Catulle Mendès, chez Leconte de Lisle et chez Banville.

Août : La *Revue du progrès moral, scientifique et artistique,* fondée par Louis-Xavier de Ricard, publie un sonnet de Verlaine, « Monsieur Prudhomme ».

1864 : Verlaine, qui a renoncé à ses études de droit, entre comme employé dans une compagnie d'assurances, puis comme expéditionnaire à la mairie du IXe arrondissement. Il passera de là à l'Hôtel de Ville, puis, l'année suivante, à la Préfecture de la Seine. Il fréquente, rue de Rivoli, le Café du Gaz.

1865 : Publication dans *L'Art* d'un article sur Barbey d'Aurevilly, d'une étude sur Baudelaire et de deux poèmes qui prendront place dans les *Poèmes saturniens :* « Dans les bois » et « Nevermore ». Verlaine fréquente la librairie d'Alphonse Lemerre, où se réunissent les futurs « parnassiens ».

30 décembre : Mort du capitaine Verlaine.

1866 *(mars) :* Première livraison du *Parnasse contemporain.*

28 avril : La neuvième livraison du *Parnasse contemporain* contient sept poèmes de Verlaine : « Vers dorés » *(Premiers Vers),* « Il Bacio », « Dans les bois », « Cauchemar », « Sub Urbe », « Marine » et « Mon Rêve familier » *(Poèmes saturniens).* Dans la publication en volume, « Angoisse » s'ajoutera aux sept poèmes précédents.

1er août : « Nuitdu Walpurgis classique » est publié par la *Revue du XIXe siècle* qui publiera également « Grotesques ».

20 octobre : Achevé d'imprimer des *Poèmes saturniens,* publié à compte d'auteur par Lemerre, grâce à la générosité de la cousine Élisa.

5 novembre : Remerciements de Leconte de Lisle.

7 novembre : Dans la série des *Trente-sept médaillonnets du Parnasse contemporain,* Barbey d'Aurevilly éreinte Verlaine.

11 novembre : Remerciements de Banville.

17 novembre : Le Journal de la librairie annonce les *Poèmes saturniens.* Article de Charles Yriarte.

27 novembre : Article de Charles Bataille dans *Le Mousquetaire*.

29 novembre : Réclamation de Verlaine, publiée par *Le Mousquetaire*, contre une citation inexacte dans l'article de l'avant-veille.

10 décembre : Remerciements de Sainte-Beuve.

20 décembre : Remerciements de Mallarmé.

1867 *(6 janvier)* : Article de H. Nicolle.

Février : Article d'Anatole France.

16 février : Mort d'Élisa Dujardin. Verlaine s'enivre.

22 avril : Remerciements de Victor Hugo.

Août : Visite à Victor Hugo, qui cite des vers des *Poèmes saturniens*.

2 septembre : Verlaine assiste aux obsèques de Baudelaire.

Fin décembre : Poulet-Malassis publie, sous le manteau, *Les Amies*. Condamnés en mai 1868 par le tribunal correctionnel de Lille, ces poèmes formeront une section de *Parallèlement*.

1868 : Verlaine fréquente le salon de Nina de Villard (Nina de Callias). Vacances à Paliseul, dans le Luxembourg belge.

1869 *(mars)* : Mise en vente des *Fêtes galantes*. Séjours à Paliseul et à Fampoux (fin juin) : rencontre, chez Charles de Sivry, de Mathilde Mauté. Nombreuses crises d'alcoolisme. Verlaine tente à deux reprises de tuer sa mère. En juillet il demande, de Fampoux, la main de Mathilde Mauté. Il écrit la plupart des poèmes de *La Bonne Chanson*, mais reste lié à Lucien Viotti, un camarade d'enfance qui mourra en 1870 (*Les Mémoires d'un veuf* évoquent « les exquises proportions de [s]on corps d'éphèbe »).

1870 *(12 juin)* : Achevé d'imprimer de *La Bonne Chanson*.

11 août : Mariage de Verlaine et de Mathilde Mauté. Verlaine est affecté au 160e bataillon de la Garde nationale.

Promotion à la fin de l'année, il est « commis-rédacteur au Bureau du Domaine de la ville ».

1871 : Pendant la Commune, Verlaine reste à son poste, ce qui lui vaudra, en juillet, d'être révoqué. En août, il s'installe chez ses beaux-parents. *10 septembre :* Arrivée de Rimbaud chez les Mauté. Il y restera quinze jours. *30 octobre :* Naissance de Georges Verlaine. Scènes de ménage violentes.

1872 : Verlaine va sans relâche de sa femme à Rimbaud, rompant et se réconciliant à plusieurs reprises avec Mathilde. En juillet, il quitte Paris avec Rimbaud, et voyage dans le Nord de la France et en Belgique avant de partir pour Londres, le 7 septembre. Sa femme introduit, dès le début de l'année, une instance en séparation.

1873 : Séjour dans le Luxembourg belge, tandis que Rimbaud rentre à Charleville. En mai, les deux poètes repartent pour Londres, via Anvers. Au début de juillet, Verlaine quitte Londres pour Bruxelles, annonçant à Rimbaud, à sa mère et à Mathilde qu'il se tuera si celle-ci refuse de reprendre la vie conjugale. *10 juillet :* A Bruxelles, il tire deux coups de revolver sur Rimbaud et est condamné à deux ans de prison. *Une saison en enfer* paraît en octobre.

1874 *(mars)* *:* Parution des *Romances sans paroles*, terminées au plus tard en mai de l'année précédente. *24 avril :* Le tribunal civil de la Seine prononce la séparation des deux époux. Conversion de Verlaine. Il écrit des sonnets qui seront publiés dans *Sagesse*.

1875 *(16 janvier)* *:* Verlaine est libéré de la prison de Mons. Il passe deux jours à Stuttgart avec Rimbaud qui lui montre, et peut-être lui confie le manuscrit des *Illuminations*. Violente querelle. A partir du mois d'avril, il enseigne à Stickney, dans le Lincolnshire. Rencontre de Germain Nouveau. Verlaine passe les vacances chez sa mère, à Arras. Rupture définitive avec Rimbaud.

1876 : Verlaine enseigne toujours en Angleterre, mais change de poste.

1877 : Rentré en France, aux alentours de Pâques, Verlaine enseigne à Rethel à partir d'octobre.

1878 : Verlaine, qui a essayé de se réconcilier avec Mathilde s'éprend d'un de ses élèves, Lucien Létinois.

1879 : Ayant perdu son poste en septembre, Verlaine emmène Létinois en Angleterre. Ils y enseignent le français jusqu'en décembre. Retour en France.

1880 : Achat d'une ferme près de Rethel. Verlaine y vit avec Lucien Létinois et avec les parents du jeune homme. Lucien s'étant engagé dans l'armée pour un an, Verlaine le suit à Reims. En novembre *Sagesse* paraît à compte d'auteur.

1882 : Retour à Paris. Verlaine essaie, en vain, de rentrer dans l'administration. Il vit à Boulogne-sur-Seine.

1883 *(7 avril)* : Mort de Lucien Létinois à l'âge de 23 ans. Verlaine achète, avec sa mère, la maison des parents Létinois, à Coulommes, et s'y installe.

1884 : A Coulommes, Verlaine fait scandale. En mars, il publie en plaquette *Les Poètes maudits* chez l'éditeur Léon Vanier, qui publie également, à la fin de l'année, *Jadis et Naguère*.

1885 *(24 mars)* : S'étant livré à des violences sur sa mère, Verlaine est condamné à un mois de prison qu'il purge à Vouziers. En mai, la séparation de Verlaine et de sa femme est transformée en divorce. Vagabondage dans les Ardennes. Première hospitalisation à l'hôpital Broussais, pour une hydarthrose du genou.

1886 *(21 janvier)* : Mort de la mère de Verlaine. Séjour à l'hôpital Tenon, puis à Broussais. Mathilde se remarie. *Les Mémoires d'un veuf*. Publication des *Illuminations*.

1887 : Verlaine passe presque toute l'année dans divers hôpitaux.

1888 : Entre deux séjours à l'hôpital, Verlaine publie, chez Vanier, *Amour*, et la nouvelle édition, très augmentée, des *Poètes maudits*. Son amitié pour le peintre Cazals prend une tonalité exaltée.

1889 *(20 juin)* : Publication de *Parallèlement*. Séjour à Broussais, et cure thermale à Aix-les-Bains.

1890 : *Dédicaces*. Verlaine se lie avec Philomène Boudin. Il est encore hospitalisé, à Cochin et à Broussais. Publication clandestine de *Femmes*.

1891 : Entre deux séjours à l'hôpital, Verlaine publie *Bonheur* et, chez Fasquelle, son *Choix de poésies*. Il fait la connaissance d'Eugénie Krantz. *10 novembre :* mort de Rimbaud. *Chansons pour elle*. Verlaine répond à l'enquête de Jules Huret sur le symbolisme. *Mes hôpitaux*.

1892 : Verlaine vit avec Eugénie Krantz. *Liturgies intimes*. Entre deux séjours à Broussais, il fait des conférences en Hollande.

1893 : Conférences en Belgique, puis, à la fin de l'année, en Angleterre. Publication d'*Élégies*, d'*Odes en son honneur*, de *Mes prisons* et de *Quinze jours en Hollande*. En juillet, Verlaine est candidat à l'Académie française.

1894 : Verlaine, dans la misère la plus totale, passe une bonne partie de l'année à l'hôpital. Il est élu, à la mort de Leconte de Lisle, « Prince des Poètes ». Le ministère de l'Instruction publique lui alloue un secours de 500 francs. *Épigrammes*.

1895 : Vie commune avec Eugénie Krantz. A deux reprises, nouveau secours de 500 francs. Les *Confessions*. Il s'installe rue Descartes en septembre.

1896 *(8 janvier)* : Mort de Verlaine.

PRÉFACE

Occultation

Verlaine ? il est caché parmi l'herbe, Verlaine.

Ce beau vers de Mallarmé, si fluide, si peu funèbre en somme qu'on en oublie presque qu'il appartient à un « tombeau » — le plus léger, le plus ouvert des « tombeaux » mallarméens, comme si, sur ce mort, il fallait peser le moins possible — ce beau vers était prophétique. Oui, Verlaine est caché. Caché par son modeste et orgueilleux thuriféraire qui lui avait succédé comme « Prince des Poètes », et qui, depuis, est devenu la figure de proue de ce que nous avons choisi de désigner comme notre modernité. Caché dans l'ombre écrasante de Rimbaud pour qui il eut toutes les faiblesses — il aimait cela, la faiblesse — et dont il reconnut, avant tous, le génie. Caché par les faits divers tapageurs, les violences, le coup de revolver de Bruxelles, la fée-absinthe, les prisons, les hôpitaux, les débauches crapuleuses, la triste maison de la rue Descartes (Descartes!) où il est mort, en 1896, à l'âge de cinquante-deux ans, un vieillard. Caché par la gloire anthologique, « sanglots longs », ciel « par-dessus le toit ». Caché par un « art poétique » dont il disait, en 1890, que ce n'était « qu'une chanson, après tout », mais dont les manuels font une profession de foi inaltérable (« L'Art » de Théophile Gautier a subi le même sort). Caché par Debussy et par Fauré, qui font avec ses vers une musique autre et en prennent souvent à leur aise. Les autres « poètes maudits » avec qui il s'était

montré si généreux ont eu leur revanche posthume :
pas Verlaine, qui a perdu le public des « connaisseurs »
et qui n'a plus, à quelques exceptions près — et elles
sont, heureusement, notables — que des lecteurs naïfs.
Et si c'était un vrai poète ?

Poèmes saturniens

Tout commentaire critique d'une première œuvre
publiée oscille nécessairement entre deux pôles, deux
types d'idées reçues sans lesquelles il n'y aurait que le
silence : s'extasier sur tout ce que l'œuvre juvénile
comporte de promesses, ou pardonner au débutant son
immaturité et sa servilité vis-à-vis des Maîtres. Pochade
irrévérencieuse, provocante, vaguement canularesque, le
sonnet intitulé « Monsieur Prudhomme »[1] peut se lire
dans une de ces deux perspectives. Thématiquement,
l'opposition du bourgeois et du poète s'inscrit dans une
tradition bien connue, entre le « Namouna » de Musset
et « les Assis » de Rimbaud, avec un rien de vitriol que le
collégien de Charleville, sans doute, appréciera, mais
qui, à cette date, ne saurait passer pour un signe profond d'engagement. Techniquement, c'est plutôt Hugo
qui sert de modèle, avec, dans la respiration, une aisance
que bien des poètes chevronnés n'ont jamais atteinte
et n'atteindront jamais :

Que lui fait l'astre d'or, que lui fait la charmille
Où l'oiseau chante à l'ombre, et que lui font les cieux,
Et les prés verts, et les gazons silencieux ?

Les promesses ? La répétition, avec une élégante variante,
du vers sur les pantoufles et plus encore l'énorme calem-
bour du premier vers sur lequel les commentateurs
n'aiment pas trop insister, montrent que le jeune poète
ne respecte rien, et surtout pas le langage. En 1863,
alors que Rimbaud n'avait que neuf ans, c'était peut-être
la seule manière de ne pas se prendre pour Victor Hugo.

1. Publié en revue en août 1863 et repris dans les *Poèmes saturniens*.

Mais c'était aussi une manière d'être Paul Verlaine,
spécialiste, sa vie durant, des attentats aux bonnes mœurs
langagières.

Paru à la fin de 1866, grâce à la générosité de la cousine
Élisa (en qui Jacques-Henry Bornecque a vu la Juliette
de ce Roméo-là), le recueil des *Poèmes saturniens* n'est
ni mieux ni moins bien organisé que la plupart des
recueils de poésie parus au cours du siècle. La section
finale est, certes, un assez incroyable fourre-tout, mais
les quatre premières parties ont leur ton propre. Dans
le projet de préface de 1890, publié en revue, Verlaine
se montrera tendre et sévère pour cette œuvre très mince
et très inégale. Ses sévérités iront surtout à certains
poèmes « les historiques et les héroïques », trop tributaires
de Victor Hugo « un Homère de seconde main, après
tout », et de Leconte de Lisle « qui ne saurait prétendre à
la fraîcheur de source d'un Orphée ou d'un Hésiode ».
C'est fort bien et fort méchamment dit, à ceci près qu'il
serait par trop imprudent de projeter sur le débutant de
1866 les aigreurs féroces du pauvre Lélian, et que la
liste des inspirateurs devrait être considérablement élar-
gie. Les travaux de Georges Zayed, de Jacques-Henry
Bornecque, de Jacques Borel et de Jacques Robichez
ne nous laissent à peu près rien ignorer de ce qui, dans
les *Poèmes saturniens*, revient à César, et de ce qui est
à Dieu. Dieu, si nous appelons de ce nom l'Inspiration,
foulée aux pieds dans l'« Épilogue » avec une bien
naïve et bien amusante sauvagerie, semble avoir la part
la plus maigre. Quant à César... les effigies de Victor Hugo et de Leconte de Lisle voisinent avec celles
de Baudelaire, de Gautier, de Banville, de « parnassiens »
comme Louis Ménard, Glatigny, L.-X. de Ricard,
Mendès, Coppée, Heredia et quelques autres. Grands et
moins grands prêtent leurs rythmes, leurs tics syntaxiques,
leur lexique, et même des bribes de vers. On n'a pas
de peine à montrer que ce chanteur que l'on dit naturel
est aussi livresque qu'il est possible de l'être. Mais il
est livresque à sa façon, qui est moderne. Même s'il
lui arrive d'écouter des voix traditionnelles et de les
suivre, Verlaine est surtout à l'affût de la mode, de la
littérature en train de se faire et de se défaire, hors des

murs du lycée, de la compagnie d'assurances, ou des
bureaux de l'Hôtel de Ville. Très tôt, il a le goût des
salons et des bistrots où la poésie circule et se parle. Ce
goût lui restera. Il demeurera, toute sa vie, attentif à
ce qui paraît de plus explosif, qu'il s'agisse de Rimbaud,
de Villiers, de Charles Cros, de Corbière ou de Mallarmé,
faisant, comme tout le monde, quelques erreurs dues au
manque de recul et aux complaisances, mais sachant
reconnaître, mieux que les critiques patentés, le génie
d'autrui. Jusqu'à la fin, il se voudra à la pointe du combat poétique, quitte à attaquer violemment ceux qui lui
paraîtront menacer sa suprématie.

Dans le contexte historique, les dettes de Verlaine
envers ses prédécesseurs et la variété même de ces
dettes sont donc moins une preuve de conformisme que
de curiosité intellectuelle. Il serait même assez téméraire
de voir dans toute citation un hommage, ou dans toute
imitation un signe d'allégeance. On se demande parfois
si l'on n'est pas en présence d'un cancre déguisé en
prix d'excellence, d'un frondeur qui manie envers ses
maîtres du Parnasse une insolence sournoise. Explici-
tement, l'« Épilogue » prend pour cible Lamartine, et
Verlaine se range fermement dans le camp parnassien.
Mais n'est-ce pas faire trop peu de crédit à ce maître
d'irrévérence que de prendre pour argent comptant ses
courbettes excessives ? On peut supposer que Verlaine
trouvait très beau ces Hectôr, ces Akhilleus, ces Orpheus
qui avaient le pouvoir de faire se hérisser Sainte-Beuve
et Victor Hugo. Peut-être même était-il très fier de sa
comparaison de « Valmiki l'excellent » et de « l'excellent
Rama » avec « deux touffes de padma ». Les lambeaux
mal cousus de Gautier, dans l'« Épilogue », ce « ciseau »
du sculpteur, ce « péplos étoilé », ce « Paros immaculé »
il n'est pas impossible qu'il y ait cru. Mais comment
imaginer que les vrais « impassibles » de « l'échoppe où
l'on fabrique ces sonnets qui partent tout seuls comme
des tabatières à musique »[1] aient pu traiter autrement
que comme un écolier facétieux l'auteur de ce vers que
Verlaine mi-figue mi-raisin se plaira, plus tard à citer :

1. Paul Claudel, « Verlaine », in *Feuilles de saints*.

Est-elle en marbre, ou non, la Vénus de Milo ?

Une belle opposition, à la Valéry, où l'on verrait se pro-
filer les silhouettes contrastées du digne bibliothécaire
du Sénat, cravaté, décoré, et un pauvre Lélian, clau-
dicant et sacrant, serait anachronique. Je soupçonne
pourtant le faux bon élève d'avoir sur le chemin du Parnasse, fait un détour par le cirque : cet accent incongru à
l'hémistiche, cette intonation gouailleuse est un coup de
pied. Non, il n'est pas permis de traiter les problèmes
esthétiques les plus élevés, à une époque où l'on est
facilement dévot de l'esthétique, avec cette désinvolture.
Plutôt que de s'interroger à perte de vue sur ses théories
littéraires — il s'obstina sa vie durant à traiter la théorie
avec un robuste mépris — ou sur les désaccords
constants entre théorie et pratique, mieux vaudrait
admettre que l'admiration n'a jamais privé Verlaine d'un
de ses dons essentiels, le don de l'irrespect, jusqu'au blasphème. Que les chemins de l'inspiration soient « émail-
lés » de « pissenlits » est moins important sur le plan de
la petite guerre entre les sectes que la manière dont le
Saturnien choisit de s'insérer dans une littérature en
proie à la gravité. Non par des fantaisies à la Banville,
mais en commençant à creuser, sous le langage poétique
accepté, quelques galeries grâce auxquelles il finira par
miner ce que l'on croit être le sens, ce sens qui, chez
Verlaine, sera toujours un peu à côté.
    La lecture, dans ce déjà savant système de valorisa-
tions et de dévalorisations lexicales, sera donc une pesée
assez subtile, une prise de conscience d'écarts parfois
infimes. Le vers auquel nous venons de faire allusion :

Comme ces pissenlits dont s'émaille la route

vaut par l'énorme incongruité de ces deux mots mis côte à
côte, l'un emprunté à la langue noble, l'autre à un herbier
beaucoup plus prosaïque (on voit mal Fénelon ou Jean-
Jacques Rousseau en émaillant leurs prairies). Il s'agit
pourtant d'un cas limite, et il ne sera pas toujours aussi
facile de surprendre le ressort de ces « accords/Harmo-
nieusement dissonants » célébrés par la « Nuit du

Walpurgis classique ». Bien que, dans une de ses conférences sur la poésie contemporaine, prononcée en 1893,
Verlaine définisse son premier recueil par son « aigreur-
veloutée » et par ses « câlines méchancetés », l'oxymoron
n'y joue, hors de ce sabbat grinçant, qu'un faible rôle.
Aussi subtile qu'en soit la mécanique, elle ne l'est pas
assez pour servir l'ambiguïté verlainienne, qui passe par
des chemins plus tortueux et des froissements d'adjec-
tifs plus acides. « Odeur fade », « spontanéité craintive »,
« solennité dolente », l'adjectif ne trouble que faiblement
la surface lisse du discours, comme ces « jasmins agaçants » que Verlaine oppose au « Dahlia, roi vêtu de
splendeur ». L'« Art poétique », sur ce point, dit juste.
La « méprise » dans le choix des mots, ou comme le dit,
en 1890, le projet de préface, « le mot propre écarté des
fois à dessein ou presque » sont, plus que les figures anti-
thétiques, les instruments favoris d'une poésie dans
laquelle la surprise ne naît pas de la splendeur ou de
l'éclat du verbe, mais d'une manière de chanter un ton
au-dessous de notre attente.

Que cette voix juvénile, refusant de se laisser prendre
au piège de la dialectique simpliste du conformisme
et de la révolte, chante, monotone, la complainte de
l'exilé, a pu faire sourire. Comment après Hugo et Baudelaire et tous les autres qui ont ressassé cette antienne,
Verlaine ne ferait-il pas figure d'épigone ? Et pourtant,
le poncif, chez lui, sonne autrement, comme si para-
doxalement, il résumait tout le recueil. « Les aimés que
la Vie exila » ont beau être un peu conventionnels, il est
difficile de ne pas s'émerveiller de la hauteur avec laquelle
le monde qui n'a pas su accueillir la parole poétique se
trouve congédié :

> Le monde, que troublait leur parole profonde,
> Les exile. A leur tour, ils exilent le monde.

Quand bien même Monsieur Prudhomme et ses semblables seraient à l'origine de l'exil de la beauté, la réponse
du poète ne s'inscrit pas dans le cadre traditionnel de
la satire antibourgeoise, mais à un tout autre niveau.
On oublie trop que la phrase très célèbre de Rimbaud,

« nous ne sommes pas au monde », n'est pas une parole
de Rimbaud, mais, entre guillemets, le fragment du discours d'un de ses personnages. Ce détail n'a pas toujours
gêné les rimbaldiens. Que ce personnage, la « Vierge folle »
d'*Une saison en enfer*, soit traditionnellement identifié
avec Verlaine ne saurait autoriser un changement pur et
simple d'attribution[1]. A la différence du Cambronne des
Misérables, qui décharge Hugo de toute responsabilité
quant au contenu du message, la « vierge folle » est présentée comme un personnage fictif, et Rimbaud reste
maître du jeu. N'est-il pas cependant troublant que ce
mot que l'on brandit si souvent à tort et à travers se
trouve éclairer, dans l'œuvre de Verlaine, une constante
profonde ? Le seul monde où le poète se reconnaisse chez
lui, souverainement, c'est le monde de la parole, mais
cette parole ne saurait être la parole du monde qu'il a,
volontairement ou non, exilé. Dans les *Poèmes saturniens*,
la séparation de la parole et du monde se modulera en un
implicite « nous ne sommes *plus* au monde », repliement
frileux au creux de la mémoire, poésie du regret, des
larmes, de l'absence, de la distance.

Le « nevermore » prend toutes les formes possibles, et
pas seulement, par deux fois, celle d'un titre. Le mythe
d'un âge d'or poétique — un âge d'or pluriel, d'ailleurs,
Inde, Grèce et Moyen Age français — domine le « Prologue ». Moins simplement sensuel que l'admirable
prélude de « Rolla » ou que le « Soleil et Chair » de l'écolier Rimbaud, ce paradis perdu est celui des levers de
soleil, de la « lumière d'or », de l'aurore des civilisations,
d'un monde où l'action est bien la sœur du rêve. Age
d'or aussi le temps écoulé, l'enfance gourmande et rêveuse
des « paradis physiques » (« Résignation »), l'adolescence
des « oaristys », l' « odeur des corps jeunes et chers »
(« Vœu »). Dans ce monde d'où nous sommes exilés,
tout était *premier*, le « premier oui » (« Nevermore »),
les « premières maîtresses » (« Vœu »), le « premier amour »
(« Le Rossignol »). Tout, maintenant est *souvenir*, tout

---

1. Antoine Adam, dans son introduction aux œuvres de Rimbaud
(Galiimard, *Bibliothèque de la Pléiade*, s. d.) combat cette tradition
avec plus de vigueur que de bonheur.

est absence. Dès cette date, l'univers poétique de Verlaine s'organise en fonction de cette structure binaire,
faisant du présent un exil, et du jadis le lieu d'où nous
sommes irrémédiablement bannis.

Dans la mesure même où le passé — passé de l'indi-
vidu, passé des civilisations — est investi de tout ce que
le poète érige en valeur, le présent sera nécessairement
vidé de substance. Aux « allégresses » et aux « candeurs »
(« Vœu ») s'opposera donc la « lassitude » présente, les
murmures blasés destinés à refréner les « transports
fébriles » d'une « petite fougueuse » (« Lassitude »).
« L'adolescent qui mord à tout fruit[1] » fait place à un
personnage chaste et nostalgique qui vit, dans les larmes,
un amour « d'orphelin pauvre », rêvant des caresses
paisibles d'une sœur aînée. Que cette thématique ait
ou non une racine biographique (Élisa pouvant, en effet,
figurer cette sœur aînée, son mariage entraînant une mise
à mort symbolique) ou psychanalytique, nous importe
moins que cette stratégie poétique affectant au présent
tout un éventail de sensations et d'émotions qui seront
comme l'ombre des valeurs perdues. Baisers sur le front,
attendrissement, larmes (« Lassitude », « Mon rêve familier », « Chanson d'automne », « Le Rossignol »), mais
aussi moiteurs et pamoisons, atmosphère crépusculaire,
ciels gris, fantômes et images ternies, avec, dans un coin
du parc, la statue écaillée de la Velléda. Ce répertoire
qui nous est familier depuis la belle étude de Jean-Pierre
Richard, c'est la manière verlainienne d'être au monde
dans l'univers du langage, et de redonner vie à des pon-
cifs, chasseur maudit des ballades allemandes, ou
« spectres agités » de la « Nuit du Walpurgis classique ».
A ce niveau d'intégration, les problèmes d'imitation et
d'originalité ne se posent plus très sérieusement.

Intégration, aussi, de ce qui est plus visiblement le
métier poétique. Un poème comme « Chanson d'automne »
doit autant à ses audaces rythmiques ou phoniques
qu'à son lexique, d'être dans toutes les mémoires. Plus
magistral encore, plus sinueux, « Soleils couchants »
invente une versification allusive, et comme en marge

---

1. Strophe supprimée de « Croquis parisien ».

des usages. Quatre mots se répètent à la rime, mélancolie, couchants, soleils, grives. A lui seul, le groupe
« soleil couchant » fournit *quatre* fins de vers, grâce aux
enjambements. L'ensemble

                    . . . . .soleils
            Couchants sur les grèves

apparaît, sans variante, deux fois sur seize pentasyl-
labes. Si l'on ajoute que le poème comporte bon nombre
d'allitérations (un jeu que la poésie française a joué
jusque-là avec beaucoup de discrétion), on comprendra
mieux en quoi consiste, dans les *Poèmes saturniens*, la
musique verlainienne, faite de récurrences à tous les
niveaux de l'expression, de rimes intérieures, de « pédales »
vocaliques qui soutiennent la strophe ou le poème (les *i*
du premier « Nevermore », les *an* du « Rêve familier »).
Cette prise en charge du discours par la sonorité conduit
à un affaiblissement de la phrase qui s'exténue, se défait,
et laisse s'installer ce rythme « indolent comme un vers »
dont parle le poème « Initium ». Contrairement à ses
aînés, Verlaine ne fait pas de l'enjambement ou du rejet
un procédé qui permette de mieux assurer les cadences
parfaites, mais l'instrument de souplesses et de langueurs qui sont les figures rythmiques parfaites de cette
poésie du « jamais plus ». On retrouvera dans les *Fêtes
galantes* ces indolences et ces insolences.
    On s'est demandé ce que faisaient dans ce recueil si
subtil les poèmes de la dernière section, et en particulier
les plus « parnassiens » d'entre eux. Autant il paraît aisé
de reconnaître, avec Verlaine, qu'on trouve dans les
Poèmes saturniens « les pentes d'habitude devenues le
lit, profond ou non, clair ou bourbeux, où s'écoulent
mon style et ma manière actuels », autant des œuvres
comme « César Borgia » ou « La Mort de Philippe II »
paraissent faire tache. Pour le lecteur attentif et conquis
des « Paysages tristes », et après les très inégaux « Ca-
prices », le contraste est trop brutal, et les partis pris
trop évidemment rétrogrades. On pense d'ailleurs qu'ils
sont antérieurs aux pièces prophétiques, puisqu'ils sont
plus scolaires. Et pourtant, mis côte à côte avec les

« transpositions d'art » de Gautier, ils n'ont pas si mauvaise allure. Le vocabulaire des arts plastiques, dans « César Borgia », dit bien à quelles médiations autres l'exilé peut avoir recours. Là encore, cette « tenture » qui « bouge » est prête à s'ouvrir sur une scène plus raffinée, où se retrouveront, au premier plan, les Colombines et les ingénues, « amantes/Futures des Libertins ».

Confessions. Concessions. Conventions

Au premier livre fait ici pendant le dernier : ces *Confessions* du tout récent « Prince des Poètes », publiées partiellement par le *Fin de Siècle* du 30 septembre au 22 novembre 1894 et, dans leur totalité, chez Vanier en juin 1895 (achevé d'imprimer 15 mai 1895). Le mot FIN, inscrit sur le manuscrit, marque l'achèvement d'une destinée.

Les *Confessions* ont mauvaise presse. Verlaine, dit-on, tire à la ligne. N'est-il pas payé ainsi ? dix centimes. D'ailleurs Verlaine n'est pas un prosateur. Et que n'a-t-il choisi un autre titre ? Celui-là était vraiment trop encombré.

Verlaine était parfaitement conscient de ce dernier risque. A plusieurs reprises, il se réfugie derrière ses éditeurs. Au début, il insiste sur le sous-titre : « On m'a demandé des « notes sur ma vie ». C'est bien modeste, « notes »; mais « sur ma vie », c'est quelque peu ambitieux » (I*, 1). Ce n'est que plus tard qu'il osera aborder de front la question du véritable titre, et que, tout en se réfugiant à demi derrière un « on » anonyme, il en tirera les conséquences qui s'imposent sur le contenu et sur la forme du livre :

« Cette très sincère et la moins atténuée possible exposition de mes débuts... en bien des choses n'ira pas sans d'assez grands tirages en mon for intérieur et sans de dures concessions aux usages adoptés en matière de style autobiographique, — mais titre oblige, et puisque l'on m'a un peu imposé celui qui crie « gare! » en tête de ces « notes » j'essaierai, après Rousseau (j'invoquerai

---

*. I : Première Partie des *Confessions* de Verlaine.

même saint Augustin, qui daignera peut-être à certains moments diriger ma plume hélas! si profane et si indigne!) de dire la vérité vraie sur moi, un moutard de neuf à seize. » (I, VII).

Ces concessions, il est difficile de savoir ce qu'elles représentent exactement dans l'esprit de Verlaine. Respecter les bienséances — car il s'agit vraisemblablement de cela — semble être essentiellement un problème de forme, la nécessité de « gazer » les épisodes bas ou scabreux. L'épisode des puces est un exemple de cette écriture systématiquement périphrastique, de ces « caresses de langage » que Verlaine attribue aux habitants de Montpellier et dont il est, à l'excès, friand. Mais peut-on parler de concessions, lorsqu'il s'agit de se conformer à une convention qui est constitutive du genre ? Verlaine le dit très bien : « titre oblige ». La « confession » cesserait de mériter son nom si le scabreux et le bas en étaient bannis.

Que la « confession » doive faire mal, nous le savons depuis saint Augustin qui parle dans la prière initiale du livre V, de « sacrifice », et l'on pourrait dire que le caractère pénible de l'aveu est un des lieux communs garantissant la véracité globale du récit : je ne mens pas, puisque l'aveu me coûte. « S'énoncer », comme il le dit si fortement, c'est « se dénoncer » (I, XII). Il enrobera donc les aveux d'artifices stylistiques destinés à souligner ce qu'ils ont de pénible, qu'il s'agisse de masturbation, de tentations homosexuelles (« Ouf! », I, XIII), ou d'alcoolisme (« la *Via dolorosa* des plus intimes aveux », II**, II). Un nombre assez considérable de « hélas! » disséminés dans le texte rappellent opportunément ce repentir qui fait preuve : *Si le grain ne meurt*, d'André Gide, mettra cette technique tout à fait au point.

Le défaut de mémoire, les petits scrupules, l'aveu même (à condition d'immédiatement corriger), de quelque mensonge, complètent la panoplie. On fera donc alterner les « J'ai beau fouiller dans ma mémoire » (I, VIII) et les « Je m'en souviens comme d'hier » (I, I), et l'on indiquera que l'écriture est parfois coupable de

----

** . II : Deuxième Partie.

mensonge, non l'auteur, dont la sincérité est totale :
« La « main de gloire » qui est celle de tout écrivain un
peu digne de ce nom m'a fait écrire à l'inverse et bien à
mon insu, étant données la nécessité de la phrase à
arrondir et sa fatalité d'une chute à effet. Pitié, n'est-ce
pas ? minuties et chinoiseries. Mais l'écriture en est
faite. Cependant, dans un travail comme celui-ci, qui
est surtout ou ne doit être et ne paraître qu'exactitude,
ponctualité, littéralité, indispensablement consciencieux
me semble-t-il de revenir, fût-ce sur une « beauté »,
sur un « agrément de style » en faveur de l'ordre strict
des faits. Et voilà qui est accompli. Je reprends le fil
de mon récit ». Admirons en passant cette parfaite lucidité, qui fait au « paraître » une place identique à celle
de « l'être ».

Bien que le modèle de Rousseau joue, dans cette
stratégie, un rôle considérable, Verlaine sait aussi
prendre ses distances. Pas de trompette du jugement,
pas de généralités sur l'homme ou sur la sincérité, mais
un début trotte-menu, un tout simple « m'y voici »
qui bat en naturel (en artifice) Henri Brulard lui-même.
Les ronds-de-jambe viendront plus tard.

A cette époque où le poète n'est plus que l'ombre de
lui-même (avec, encore, quelques bouffées isolées de
poésie), les *Confessions* apparaissent souvent, pour la
dignité du verbe, comme un refuge. Cette prose trop
goguenarde charrie, à la frontière du rêve, des bouffées
de sensations inoubliables, l'eau de la bouillotte « qui
faisait de si jolie musique » (I, I), « les allées d'ombre
moite et de soleil pulvérulent » (I, I), le portrait de Paris
(I, IV), le paysage des bords de la Scarpe qui « se parait
de toute une végétation sous l'eau qui devenait fantastique, orientalement, mille-et-une-nuitamment belle
quand le soleil y pénétrait et qui, par les jours de ciel
terne, prenait un sombre presque ou tout à fait inquiétant.
Une forêt noyée, avec des joies comme folles et des
tristesses jusqu'à des terreurs !... » (II, VI). Scarpe ou
Vivonne ?

Le goût prononcé « pour le tortillé et la phraséologie
un peu vague « (I, XII) dont Verlaine prétend s'être
affranchi est ce qui éloigne le plus le lecteur, irrité par

ces parenthèses proliférantes, ces points de suspension, ces mots rares, ces chatteries mêlées de vulgarismes, ce côté « fin de siècle » et « écriture artiste » que l'on adore chez Huysmans. L'horrible « parentals » (I, VII), l'absurde « maladieux » (II, VI), les verbes cocasses et aberrants, « simultana » (I*, VIII) ou « se logifier » (I, XII), le charmant « habitueux » appliqué au chat (I, VIII) hérissent, même lorsqu'il est évident que Verlaine cherche à amuser. Car c'est bien là ce qui distingue ces *Confessions* sans véritable pathétique. Dans les limites de la stratégie propre au genre, Verlaine choisit de bouffonner, non d'émouvoir, et la gouaille, comme le manteau de Noé, couvre sans cesse l'indignité. Fragile équilibre que celui-là, avec, derrière les pudeurs rigolardes, de brèves trouées où s'étale, fière, la nudité. Toute mièvrerie disparaît alors et l'on voit surgir, au détour de la phrase, le souvenir des pièces écartées de *La Bonne Chanson* qui « bercent pour les réveiller plus ardents, plus fauves, mes désirs tout, ou presque, à la chair maintenant !... » (II**, IX). Dans les méandres de « l'écriture artiste », qui nous tient si bien à distance, de telles phrases, brusquement, justifient le titre.

Deux noms dominent la conclusion. Verlaine s'arrête au moment où apparaît Rimbaud, et invoque, pour la deuxième fois, saint Augustin. Rimbaud, c'est « l'Aventure », évoquée au chapitre IX de la seconde partie, le « grand péché radieux » de *Parallèlement*. Saint Augustin, c'est la conversion jamais remise en question, mais dont les effets sont singulièrement affaiblis. Plus rien ne grince, et les forces qui furent adverses ne s'opposent plus. Le ton est apaisé, l'écriture d'une totale simplicité, comme décantée. D'aucuns regretteront ce manque d'éclat, reflet sans doute d'une grande lassitude d'écrire. Est-ce une dernière conquête ? une ultime renonciation ? Il est parfois dangereux, pour un écrivain, de « tordre son cou » à l'éloquence.

Jean GAUDON.

---

*. I : Première Partie des *Confessions* de Verlaine.
**. II : Deuxième Partie.

NOTICE BIBLIOGRAPHIQUE

TEXTES

Publiés à compte d'auteur chez Lemerre en 1866 (achevé d'imprimer : 20 octobre; *Journal de la librairie :* 17 novembre), les *Poèmes saturniens* ont été réédités par Vanier en 1890 et 1894. Il en existe, sous le titre *Les Poèmes saturniens de Paul Verlaine* une édition critique procurée par Jacques-Henry Bornecque (2ᵉ édition, Nizet, 1967). Nous avons reproduit le texte de l'excellente édition des *Œuvres poétiques*, procurée par Jacques Robichez, Garnier, s.d. [1969], qui suit avec quelques corrections orthographiques, le texte de l'édition originale. On pourra se référer également à l'édition des *Œuvres poétiques complètes*, texte établi et annoté par Y.-G. Le Dantec, édition revue, complétée et présentée par Jacques Borel, N.R.F., *Bibliothèque de la Pléiade*, s.d. [1962].

Les *Confessions* ont été publiées en 1895 par les publications de « Fin de Siècle », puis, en 1899, par *La Plume*. Nous avons reproduit le texte de l'édition originale, après y avoir apporté les corrections nécessaires. On consultera utilement l'édition des *Œuvres en prose complètes*, texte établi, présenté et annoté par Jacques Borel, N.R.F. *Bibliothèque de la Pléiade*, s.d. [1972].

ÉTUDES

Outre les introductions et les notes des éditions citées ci-dessus, on pourra consulter :

ADAM (Antoine), *Le Vrai Verlaine*, Droz, 1936.
  Verlaine, Coll. Connaissance des lettres, Hatier, 1953 (plusieurs rééditions).
BORNECQUE (Jacques-Henry), *Verlaine par lui-même*, Seuil, 1966.
CUÉNOT (Claude), *État présent des études verlainiennes*, Belles-lettres, 1938.
  « Nouvel état présent des études verlainiennes », in *L'Information littéraire*, sept.-oct. 1956.
  Le Style de Paul Verlaine, C.D.U. 1963.
NADAL (Octave), *Paul Verlaine*, Mercure de France, 1951.
PORCHÉ (François), *Verlaine tel qu'il fut*, Flammarion, 1933.
RICHARD (Jean-Pierre), « Fadeur de Verlaine », in *Poésie et profondeur*, Ed. du Seuil, 1955.
RICHER (Jean), *Paul Verlaine*, Coll. Poètes d'aujourd'hui, Seghers, éd. refondue, 1960.
UNDERWOOD (V. P.), *Verlaine et l'Angleterre*, Nizet, 1956.
ZAYED (Georges), *La Formation littéraire de Verlaine*, 2e éd. Nizet, 1970. [Cet ouvrage comporte une bonne bibliographie.]
ZIMMERMANN (Éléonore M.), *Magies de Verlaine*, Corti, 1967.

et :

  Europe, numéro spécial sur Verlaine, sept.-oct. 1974.

POÈMES SATURNIENS

Les Sages d'autrefois, qui valaient bien ceux-ci,
Crurent, et c'est un point encor mal éclairci,
Lire au ciel les bonheurs ainsi que les désastres,
Et que chaque âme était liée à l'un des astres.
5 *(On a beaucoup raillé, sans penser que souvent*
  Le rire est ridicule autant que décevant,
  Cette explication du mystère nocturne.)
Or ceux-là qui sont nés sous le signe SATURNE,
Fauve planète, chère aux nécromanciens,
10 *Ont entre tous, d'après les grimoires anciens,*
Bonne part de malheur et bonne part de bile.
L'Imagination, inquiète et débile,
Vient rendre nul en eux l'effort de la Raison.
Dans leurs veines le sang, subtil comme un poison,
15 *Brûlant comme une lave, et rare, coule et roule*
En grésillant leur triste Idéal qui s'écroule.
Tels les Saturniens doivent souffrir et tels
Mourir, — en admettant que nous soyons mortels, —
Leur plan de vie étant dessiné ligne à ligne
20 *Par la logique d'une Influence maligne.*

                            P. V.

POÈMES SATURNIENS

PROLOGUE

Dans ces temps fabuleux, les limbes de l'histoire,
Où les fils de Raghû, beaux de fard et de gloire [1],
Vers la Ganga régnaient leur règne étincelant,
Et, par l'intensité de leur vertu troublant
5 Les Dieux et les Démons et Bhagavat lui-même,
Augustes, s'élevaient jusqu'au Néant suprême,
Ah! la terre et la mer et le ciel, purs encor
Et jeunes, qu'arrosait une lumière d'or
Frémissante, entendaient, apaisant leurs murmures
10 De tonnerres, de flots heurtés, de moissons mûres,
Et retenant le vol obstiné des essaims,
Les Poètes sacrés chanter les Guerriers saints,
Cependant que le ciel et la mer et la terre
Voyaient, — rouges et las de leur travail austère,
15 S'incliner, pénitents fauves et timorés,
Les Guerriers saints devant les Poètes sacrés!
Une connexité grandiosement alme
Liait le Kçhatrya [2] serein au Chanteur calme,
Valmiki [3] l'excellent à l'excellent Rama :
20 Telles sur un étang deux touffes de padma.

— Et sous tes cieux dorés et clairs, Hellas antique,
De Spartè la sévère à la rieuse Attique,
Les Aèdes, Orpheus, Alkaïos, étaient
Encore des héros altiers, et combattaient.
25 Homéros, s'il n'a pas, lui, manié le glaive,

Fait retentir, clameur immense qui s'élève,
Vos échos jamais las, vastes postérités,
D'Hektôr, et d'Odysseus, et d'Akhilleus chantés.
Les héros à leur tour, après les luttes vastes,
30 Pieux, sacrifiaient aux neuf Déesses chastes,
Et non moins que de l'art d'Arès furent épris
De l'Art dont une Palme immortelle est le prix,
Akhilleus entre tous! Et le Laërtiade
Dompta, parole d'or qui charme et persuade,
35 Les esprits et les cœurs et les âmes toujours,
Ainsi qu'Orpheus domptait les tigres et les ours.

— Plus tard, vers des climats plus rudes, en des ères
Barbares, chez les Francs tumultueux, nos pères,
Est-ce que le Trouvère héroïque n'eut pas
40 Comme le Preux sa part auguste des combats ?
Est-ce que, Théroldus ayant dit Charlemagne,
Et son neveu Roland resté dans la montagne,
Et le bon Olivier et Turpin au grand cœur,
En beaux couplets et sur un rhythme âpre et vainqueur,
45 Est-ce que, cinquante ans après, dans les batailles,
Les durs Leudes, perdant leur sang par vingt entailles,
Ne chantaient pas le chant de geste sans rivaux
De Roland et de ceux qui virent Roncevaux
Et furent de l'énorme et suprême tuerie,
50 Du temps de l'Empereur à la barbe fleurie ?...

— Aujourd'hui, l'Action et le Rêve ont brisé
Le pacte primitif par les siècles usé,
Et plusieurs ont trouvé funeste ce divorce
De l'Harmonie immense et bleue et de la Force.
55 La Force, qu'autrefois le Poète tenait
En bride, blanc cheval ailé qui rayonnait,
La Force, maintenant, la Force, c'est la Bête
Féroce bondissante et folle et toujours prête
A tout carnage, à tout dévastement, à tout
60 Égorgement, d'un bout du monde à l'autre bout !
L'Action qu'autrefois réglait le chant des lyres,
Trouble, enivrée, en proie aux cent mille délires
Fuligineux d'un siècle en ébullition,
L'Action à présent, — ô pitié ! — l'Action,

65 C'est l'ouragan, c'est la tempête, c'est la houle
   Marine dans la nuit sans étoiles, qui roule
   Et déroule parmi les bruits sourds l'effroi vert
   Et rouge des éclairs sur le ciel entr'ouvert!

   — Cependant, orgueilleux et doux, loin des vacarmes
70 De la vie et du choc désordonné des armes
   Mercenaires, voyez, gravissant les hauteurs
   Ineffables, voici le groupe des Chanteurs
   Vêtus de blanc, et des lueurs d'apothéoses
   Empourprent la fierté sereine de leurs poses :
75 Tous beaux, tous purs, avec des rayons dans les yeux,
   Et sous leur front le rêve inachevé des Dieux!
   Le monde, que troublait leur parole profonde,
   Les exile. A leur tour ils exilent le monde!
   C'est qu'ils ont à la fin compris qu'il ne faut plus
80 Mêler leur note pure aux cris irrésolus
   Que va poussant la foule obscène et violente,
   Et que l'isolement sied à leur marche lente.
   Le Poète, l'amour du Beau, voilà sa foi,
   L'Azur, son étendard, et l'Idéal, sa loi!
85 Ne lui demandez rien de plus, car ses prunelles,
   Où le rayonnement des choses éternelles
   A mis des visions qu'il suit avidement,
   Ne sauraient s'abaisser une heure seulement
   Sur le honteux conflit des besognes vulgaires
90 Et sur vos vanités plates; et si naguères
   On le vit au milieu des hommes, épousant
   Leurs querelles, pleurant avec eux, les poussant
   Aux guerres, célébrant l'orgueil des Républiques
   Et l'éclat militaire et les splendeurs auliques
95 Sur la kithare, sur la harpe et sur le luth,
   S'il honorait parfois le présent d'un salut
   Et daignait consentir à ce rôle de prêtre
   D'aimer et de bénir, et s'il voulait bien être
   La voix qui rit ou pleure alors qu'on pleure ou rit,
100 S'il inclinait vers l'âme humaine son esprit,
   C'est qu'il se méprenait alors sur l'âme humaine.

   — Maintenant, va, mon Livre, où le hasard te mène!

MELANCHOLIA

A Ernest Boutier [4].

I

RÉSIGNATION [5]

Tout enfant, j'allais rêvant Ko-Hinnor,
Somptuosité persane et papale,
3   Héliogabale et Sardanapale!

Mon désir créait sous des toits en or,
Parmi les parfums, au son des musiques,
6   Des harems sans fin, paradis physiques!

Aujourd'hui, plus calme et non moins ardent,
Mais sachant la vie et qu'il faut qu'on plie,
J'ai dû refréner ma belle folie,
10   Sans me résigner par trop cependant.

Soit! le grandiose échappe à ma dent,
Mais, fi de l'aimable et fi de la lie!
Et je hais toujours la femme jolie,
14   La rime assonante et l'ami prudent.

II

NEVERMORE

Souvenir, souvenir, que me veux-tu? L'automne
Faisait voler la grive à travers l'air atone,

Et le soleil dardait un rayon monotone
4 Sur le bois jaunissant où la bise détonne.

Nous étions seul à seule et marchions en rêvant,
Elle et moi, les cheveux et la pensée au vent.
Soudain, tournant vers moi son regard émouvant :
8 « Quel fut ton plus beau jour ? » fit sa voix d'or vivant,

Sa voix douce et sonore[6], au frais timbre angélique.
Un sourire discret lui donna la réplique,
11 Et je baisai sa main blanche, dévotement.

— Ah! les premières fleurs, qu'elles sont parfumées!
Et qu'il bruit avec un murmure charmant
14 Le premier *oui* qui sort de lèvres bien-aimées!

III

APRÈS TROIS ANS

Ayant poussé la porte étroite qui chancelle,
Je me suis promené dans le petit jardin
Qu'éclairait doucement le soleil du matin,
4 Pailletant chaque fleur d'une humide étincelle.

Rien n'a changé. J'ai tout revu : l'humble tonnelle
De vigne folle avec les chaises de rotin...
Le jet d'eau fait toujours son murmure argentin
8 Et le vieux tremble sa plainte sempiternelle.

Les roses comme avant palpitent; comme avant,
Les grands lys orgueilleux se balancent au vent.
11 Chaque alouette qui va et vient m'est connue.

Même j'ai retrouvé debout la Velléda
Dont le plâtre s'écaille au bout de l'avenue,
14 — Grêle, parmi l'odeur fade du réséda.

IV

VŒU

Ah! les oaristys! les premières maîtresses!
L'or des cheveux, l'azur des yeux, la fleur des chairs,
Et puis, parmi l'odeur, des corps jeunes et chers,
4 La spontanéité craintive des caresses!

Sont-elles assez loin toutes ces allégresses
Et toutes ces candeurs! Hélas! toutes devers
Le printemps des regrets ont fui les noirs hivers
8 De mes ennuis, de mes dégoûts, de mes détresses!

Si que me voilà seul à présent, morne et seul,
Morne et désespéré, plus glacé qu'un aïeul,
11 Et tel qu'un orphelin pauvre sans sœur aînée.

O la femme à l'amour câlin et réchauffant,
Douce, pensive et brune, et jamais étonnée,
14 Et qui parfois vous baise au front, comme un enfant!

V

LASSITUDE

> *A batallas de amor campo de pluma* [7].
> (GONGORA.)

De la douceur, de la douceur, de la douceur!
Calme un peu ces transports fébriles, ma charmante.
Même au fort du déduit parfois, vois-tu, l'amante
4 Doit avoir l'abandon paisible de la sœur.

Sois langoureuse, fais ta caresse endormante,
Bien égaux tes soupirs et ton regard berceur.
Va, l'étreinte jalouse et le spasme obsesseur
8 Ne valent pas un long baiser, même qui mente!

Mais dans ton cher cœur d'or, me dis-tu, mon enfant,
La fauve passion va sonnant l'olifant!...
11 Laisse-la trompeter à son aise, la gueuse!

Mets ton front sur mon front et ta main dans ma main,
Et fais-moi des serments que tu rompras demain,
14 Et pleurons jusqu'au jour, ô petite fougueuse!

VI

MON RÊVE FAMILIER

Je fais souvent ce rêve étrange et pénétrant
D'une femme inconnue, et que j'aime, et qui m'aime,
Et qui n'est, chaque fois, ni tout à fait la même
4 Ni tout à fait une autre, et m'aime et me comprend.

Car elle me comprend, et mon cœur, transparent
Pour elle seule, hélas! cesse d'être un problème
Pour elle seule, et les moiteurs de mon front blême,
8 Elle seule les sait rafraîchir, en pleurant.

Est-elle brune, blonde ou rousse? — Je l'ignore.
Son nom? Je me souviens qu'il est doux et sonore
11 Comme ceux des aimés que la Vie exila.

Son regard est pareil au regard des statues,
Et, pour sa voix, lointaine, et calme, et grave, elle a
14 L'inflexion des voix chères qui se sont tues.

VII

A UNE FEMME

A vous ces vers de par la grâce consolante
De vos grands yeux où rit et pleure un rêve doux,

De par votre âme pure et toute bonne, à vous
4 Ces vers du fond de ma détresse violente.

C'est qu'hélas ! le hideux cauchemar qui me hante
N'a pas de trêve et va furieux, fou, jaloux,
Se multipliant comme un cortège de loups
8 Et se pendant après mon sort qu'il ensanglante !

Oh ! je souffre, je souffre affreusement, si bien
Que le gémissement premier du premier homme
11 Chassé d'Éden n'est qu'une églogue au prix du mien !

Et les soucis que vous pouvez avoir sont comme
Des hirondelles sur un ciel d'après-midi,
14 — Chère, — par un beau jour de septembre attiédi.

VIII

L'ANGOISSE

Nature, rien de toi ne m'émeut, ni les champs
Nourriciers, ni l'écho vermeil des pastorales
Siciliennes, ni les pompes aurorales,
4 Ni la solennité dolente des couchants.

Je ris de l'Art, je ris de l'Homme aussi, des chants,
Des vers, des temples grecs et des tours en spirales
Qu'étirent dans le ciel vide les cathédrales,
8 Et je vois du même œil les bons et les méchants.

Je ne crois pas en Dieu, j'abjure et je renie
Toute pensée, et quant à la vieille ironie,
11 L'Amour, je voudrais bien qu'on ne m'en parlât plus.

Lasse de vivre, ayant peur de mourir, pareille
Au brick perdu jouet du flux et du reflux,
14 Mon âme pour d'affreux naufrages appareille.

EAUX-FORTES

I

CROQUIS PARISIEN

La lune plaquait ses teintes de zinc
          Par angles obtus.
Des bouts de fumée en forme de cinq
Sortaient drus et noirs des hauts toits pointus [8].

Le ciel était gris. La bise pleurait
          Ainsi qu'un basson.
Au loin, un matou frileux et discret
Miaulait d'étrange et grêle façon.

Moi, j'allais, rêvant du divin Platon
          Et de Phidias,
Et de Salamine et de Marathon,
Sous l'œil clignotant des bleus becs de gaz.

II

CAUCHEMAR

J'ai vu passer dans mon rêve
— Tel l'ouragan sur la grève, —
D'une main tenant un glaive
Et de l'autre un sablier,
          Ce cavalier

Des ballades d'Allemagne
Qu'à travers ville et campagne,
Et du fleuve à la montagne,
Et des forêts au vallon,
10   Un étalon

Rouge-flamme et noir d'ébène,
Sans bride, ni mors, ni rêne,
Ni hop! ni cravache, entraîne
Parmi des râlements sourds
15   Toujours! toujours!

Un grand feutre à longue plume
Ombrait son œil qui s'allume
Et s'éteint. Tel, dans la brume,
Éclate et meurt l'éclair bleu
20   D'une arme à feu.

Comme l'aile d'une orfraie
Qu'un subit orage effraie,
Par l'air que la neige raie,
Son manteau se soulevant
25   Claquait au vent,

Et montrait d'un air de gloire
Un torse d'ombre et d'ivoire,
Tandis que dans la nuit noire
Luisaient en des cris stridents
30   Trente-deux dents.

III

MARINE

L'Océan sonore
Palpite sous l'œil
De la lune en deuil
4   Et palpite encore,

Tandis qu'un éclair
Brutal et sinistre
Fend le ciel de bistre
8 D'un long zigzag clair,

Et que chaque lame
En bonds convulsifs
Le long des récifs
12 Va, vient, luit et clame,

Et qu'au firmament,
Où l'ouragan erre,
Rugit le tonnerre
16 Formidablement.

IV

EFFET DE NUIT

La nuit. La pluie. Un ciel blafard que déchiquette
De flèches et de tours à jour la silhouette
D'une ville gothique éteinte au lointain gris.
4 La plaine. Un gibet plein de pendus rabougris
Secoués par le bec avide des corneilles
Et dansant dans l'air noir des gigues nonpareilles,
Tandis que leurs pieds sont la pâture des loups.
8 Quelques buissons d'épine épars, et quelques houx
Dressant l'horreur de leur feuillage à droite, à gauche,
Sur le fuligineux fouillis d'un fond d'ébauche.
Et puis, autour de trois livides prisonniers
12 Qui vont pieds nus, un gros de hauts pertuisaniers [9]
En marche, et leurs fers droits, comme des fers de herse,
Luisent à contre-sens des lances de l'averse.

V

GROTESQUES

Leurs jambes pour toutes montures,
Pour tous biens l'or de leurs regards,
Par le chemin des aventures
4   Ils vont haillonneux et hagards.

Le sage, indigné, les harangue;
Le sot plaint ces fous hasardeux;
Les enfants leur tirent la langue
8   Et les filles se moquent d'eux.

C'est qu'odieux et ridicules,
Et maléfiques en effet,
Ils ont l'air, sur les crépuscules,
12   D'un mauvais rêve que l'on fait;

C'est que, sur leurs aigres guitares
Crispant la main des libertés,
Ils nasillent des chants bizarres,
16   Nostalgiques et révoltés;

C'est enfin que dans leurs prunelles
Rit et pleure — fastidieux —
L'amour des choses éternelles,
20   Des vieux morts et des anciens dieux!

— Donc, allez, vagabonds sans trêves,
Errez, funestes et maudits,
Le long des gouffres et des grèves,
24   Sous l'œil fermé des paradis!

La nature à l'homme s'allie
Pour châtier comme il le faut
L'orgueilleuse mélancolie
28   Qui vous fait marcher le front haut,

Et, vengeant sur vous le blasphème
Des vastes espoirs véhéments,
Meurtrit votre front anathème
32   Au choc rude des éléments.

Les juins brûlent et les décembres
Gèlent votre chair jusqu'aux os,
Et la fièvre envahit vos membres
36   Qui se déchirent aux roseaux.

Tout vous repousse et tout vous navre,
Et quand la mort viendra pour vous,
Maigre et froide, votre cadavre
40   Sera dédaigné par les loups!

PAYSAGES TRISTES

A Catulle Mendès.

I

SOLEILS COUCHANTS

Une aube affaiblie
Verse par les champs
La mélancolie
4   Des soleils couchants.
La mélancolie
Berce de doux chants
Mon cœur qui s'oublie
8   Aux soleils couchants.
Et d'étranges rêves,
Comme des soleils
Couchants sur les grèves,
12   Fantômes vermeils,
Défilent sans trêves,
Défilent, pareils
A des grands soleils
16   Couchants sur les grèves.

II

CRÉPUSCULE DU SOIR MYSTIQUE

Le Souvenir avec le Crépuscule
Rougeoie et tremble à l'ardent horizon

De l'Espérance en flamme qui recule
4   Et s'agrandit ainsi qu'une cloison
Mystérieuse où mainte floraison
— Dahlia, lys, tulipe et renoncule —
S'élance autour d'un treillis, et circule
8   Parmi la maladive exhalaison
De parfums lourds et chauds, dont le poison
— Dahlia, lys, tulipe et renoncule —
Noyant mes sens, mon âme et ma raison,
12   Mêle dans une immense pâmoison
Le Souvenir avec le Crépuscule.

III

PROMENADE SENTIMENTALE

Le couchant dardait ses rayons suprêmes
Et le vent berçait les nénuphars blêmes;
Les grands nénuphars entre les roseaux
4   Tristement luisaient sur les calmes eaux.
Moi j'errais tout seul, promenant ma plaie
Au long de l'étang, parmi la saulaie
Où la brume vague évoquait un grand
8   Fantôme laiteux se désespérant
Et pleurant avec la voix des sarcelles
Qui se rappelaient en battant des ailes
Parmi la saulaie où j'errais tout seul
12   Promenant ma plaie; et l'épais linceul
Des ténèbres vint noyer les suprêmes
Rayons du couchant dans ses ondes blêmes
Et des nénuphars, parmi les roseaux,
16   Des grands nénuphars sur les calmes eaux.

IV

NUIT DU WALPURGIS CLASSIQUE

C'est plutôt le sabbat du second Faust que l'autre.
Un rhythmique sabbat, rhythmique, extrêmement
Rhythmique. — Imaginez un jardin de Lenôtre,
4   Correct, ridicule et charmant.

Des ronds-points; au milieu, des jets d'eau; des allées
Toutes droites; sylvains de marbre; dieux marins
De bronze; çà et là, des Vénus étalées;
8   Des quinconces, des boulingrins;

Des châtaigniers; des plants de fleurs formant la dune;
Ici, des rosiers nains qu'un goût docte effila;
Plus loin, des ifs taillés en triangles. La lune
12   D'un soir d'été sur tout cela.

Minuit sonne, et réveille au fond du parc aulique
Un air mélancolique, un sourd, lent et doux air
De chasse : tel, doux, lent, sourd et mélancolique,
16   L'air de chasse de *Tannhauser*.

Des chants voilés de cors lointains où la tendresse
Des sens étreint l'effroi de l'âme en des accords
Harmonieusement dissonants dans l'ivresse;
20   Et voici qu'à l'appel des cors

S'entrelacent soudain des formes toutes blanches,
Diaphanes, et que le clair de lune fait
Opalines parmi l'ombre verte des branches,
24   — Un Watteau rêvé par Raffet! —

S'entrelacent parmi l'ombre verte des arbres
D'un geste alangui, plein d'un désespoir profond,
Puis, autour des massifs, des bronzes et des marbres
28   Très lentement dansent en rond.

— Ces spectres agités, sont-ce donc la pensée
Du poète ivre, ou son regret, ou son remords,
Ces spectres agités en tourbe cadencée,
32   Ou bien tout simplement des morts ?

Sont-ce donc ton remords, ô rêvasseur qu'invite
L'horreur, ou ton regret, ou ta pensée, — hein ? — tous
Ces spectres qu'un vertige irrésistible agite,
36   Ou bien des morts qui seraient fous ? —

N'importe! ils vont toujours, les fébriles fantômes,
Menant leur ronde vaste et morne et tressautant
Comme dans un rayon de soleil des atomes,
40   Et s'évaporent à l'instant

Humide et blême où l'aube éteint l'un après l'autre
Les cors, en sorte qu'il ne reste absolument
Plus rien — absolument — qu'un jardin de Lenôtre,
44   Correct, ridicule et charmant.

V

CHANSON D'AUTOMNE

Les sanglots longs
Des violons
3   De l'automne
Blessent mon cœur
D'une langueur
6   Monotone.

Tout suffocant
Et blême, quand
9   Sonne l'heure,
Je me souviens
Des jours anciens
12   Et je pleure;

Et je m'en vais
Au vent mauvais

15   Qui m'emporte
                    Deçà, delà,
                    Pareil à la
18   Feuille morte.

VI

L'HEURE DU BERGER

La lune est rouge au brumeux horizon;
Dans un brouillard qui danse la prairie
S'endort fumeuse, et la grenouille crie
4   Par les joncs verts où circule un frisson;

Les fleurs des eaux referment leurs corolles;
Des peupliers profilent aux lointains,
Droits et serrés, leurs spectres incertains;
8   Vers les buissons errent les lucioles;

Les chats-huants s'éveillent, et sans bruit
Rament l'air noir avec leurs ailes lourdes,
Et le zénith s'emplit de lueurs sourdes.
12   Blanche, Vénus émerge, et c'est la Nuit.

VII

LE ROSSIGNOL

Comme un vol criard d'oiseaux en émoi,
Tous mes souvenirs s'abattent sur moi,
S'abattent parmi le feuillage jaune
4   De mon cœur mirant son tronc plié d'aune
Au tain violet de l'eau des Regrets
Qui mélancoliquement coule auprès,

     S'abattent, et puis la rumeur mauvaise
8   Qu'une brise moite en montant apaise,
     S'éteint par degrés dans l'arbre, si bien
     Qu'au bout d'un instant on n'entend plus rien,
     Plus rien que la voix célébrant l'Absente,
12   Plus rien que la voix — ô si languissante! —
     De l'oiseau que fut mon Premier Amour,
     Et qui chante encor comme au premier jour;
     Et dans la splendeur triste d'une lune
16   Se levant blafarde et solennelle, une
     Nuit mélancolique et lourde d'été,
     Pleine de silence et d'obscurité,
     Berce sur l'azur qu'un vent doux effleure
20   L'arbre qui frissonne et l'oiseau qui pleure.

CAPRICES

A Henry Winter [10].

I

FEMME ET CHATTE

Elle jouait avec sa chatte,
Et c'était merveille de voir
La main blanche et la blanche patte
S'ébattre dans l'ombre du soir.

Elle cachait — la scélérate! —
Sous ses mitaines de fil noir
Ses meurtriers ongles d'agate,
Coupants et clairs comme un rasoir.

L'autre aussi faisait la sucrée
Et rentrait sa griffe acérée,
Mais le diable n'y perdait rien...

Et dans le boudoir où, sonore,
Tintait son rire aérien
Brillaient quatre points de phosphore.

II

JÉSUITISME

Le Chagrin qui me tue est ironique, et joint
Le sarcasme au supplice, et ne torture point

Franchement, mais picote avec un faux sourire
4 Et transforme en spectacle amusant mon martyre,
Et sur la bière où gît mon Rêve mi-pourri
Beugle un *De Profundis* sur l'air du *Traderi*.
C'est un Tartuffe qui, tout en mettant des roses
8 Pompons sur les autels des Madones moroses,
Tout en faisant chanter à des enfants de chœur
Ces cantiques d'eau tiède où se baigne le cœur,
Tout en amidonnant ces guimpes amoureuses
12 Qui serpentent au corps sacré des Bienheureuses,
Tout en disant à voix basse son chapelet,
Tout en passant la main sur son petit collet,
Tout en parlant avec componction de l'âme,
16 N'en médite pas moins ma ruine, — l'infâme !

III

LA CHANSON DES INGÉNUES

Nous sommes les Ingénues
Aux bandeaux plats, à l'œil bleu,
Qui vivons, presque inconnues,
4 Dans les romans qu'on lit peu.

Nous allons entrelacées,
Et le jour n'est pas plus pur
Que le fond de nos pensées,
8 Et nos rêves sont d'azur ;

Et nous courons par les prées,
Et rions et babillons
Des aubes jusqu'aux vesprées,
12 Et chassons aux papillons ;

Et des chapeaux de bergères
Défendent notre fraîcheur,
Et nos robes — si légères —
16 Sont d'une extrême blancheur [11] ;

Les Richelieux, les Caussades
Et les chevaliers Faublas
Nous prodiguent les œillades,
20   Les saluts et les « hélas! »,

Mais en vain, et leurs mimiques
Se viennent casser le nez
Devant les plis ironiques
24   De nos jupons détournés;

Et notre candeur [12] se raille
Des imaginations
De ces raseurs de muraille,
28   Bien que parfois nous sentions

Battre nos cœurs sous nos mantes
A des pensers clandestins,
En nous sachant les amantes
32   Futures des libertins.

IV

UNE GRANDE DAME

Belle « à damner les saints », à troubler sous l'aumusse
Un vieux juge! Elle marche impérialement.
Elle parle — et ses dents font un miroitement —
4 Italien, avec un léger accent russe.

Ses yeux froids où l'émail sertit le bleu de Prusse
Ont l'éclat insolent et dur du diamant.
Pour la splendeur du sein, pour le rayonnement
8 De la peau, nulle reine ou courtisane, fût-ce

Cléopâtre la lynce ou la chatte Ninon,
N'égale sa beauté patricienne, non!
11 Vois, ô bon Buridan : « C'est une grande dame! »

Il faut — pas de milieu! — l'adorer à genoux,
Plat, n'ayant d'astre aux cieux que ses lourds cheveux rou·
14 Ou bien lui cravacher la face, à cette femme!

V

MONSIEUR PRUDHOMME [13]

Il est grave : il est maire et père de famille.
Son faux col engloutit son oreille. Ses yeux
Dans un rêve sans fin flottent insoucieux,
4 Et le printemps en fleurs sur ses pantoufles brille.

Que lui fait l'astre d'or, que lui fait la charmille
Où l'oiseau chante à l'ombre et que lui font les cieux,
Et les prés verts et les gazons silencieux [14] ?
8 Monsieur Prudhomme songe à marier sa fille

Avec monsieur Machin, un jeune homme cossu.
Il est juste-milieu, botaniste et pansu.
11 Quant aux faiseurs de vers, ces vauriens, ces maroufles,

Ces fainéants barbus, mal peignés, il les a
Plus en horreur que son éternel coryza [15],
14 Et le printemps en fleurs brille sur ses pantoufles.

INITIUM

Les violons mêlaient leur rire au chant des flûtes
Et le bal tournoyait quand je la vis passer
Avec ses cheveux blonds jouant sur les volutes
De son oreille où mon Désir comme un baiser
5 S'élançait et voulait lui parler, sans oser.

Cependant elle allait, et la mazurque lente
La portait dans son rhythme indolent comme un vers,
— Rime mélodieuse, image étincelante, —
Et son âme d'enfant rayonnait à travers

10 La sensuelle ampleur de ses yeux gris et verts.

Et depuis, ma Pensée — immobile — contemple
Sa Splendeur évoquée, en adoration,
Et dans son Souvenir, ainsi que dans un temple,
Mon Amour entre, plein de superstition.

15 Et je crois que voici venir la Passion.

ÇAVITRI

(MAHA-BARATTA.)

Pour sauver son époux, Çavitrî fit le vœu
De se tenir trois jours entiers, trois nuits entières,
Debout, sans remuer jambes, buste ou paupières :
4 Rigide, ainsi que dit Vyaça, comme un pieu.

Ni, Çurya, tes rais cruels, ni la langueur
Que Tchandra vient épandre à minuit sur les cimes
Ne firent défaillir, dans leurs efforts sublimes,
8 La pensée et la chair de la femme au grand cœur.

— Que nous cerne l'Oubli, noir et morne assassin,
Ou que l'Envie aux traits amers nous ait pour cibles,
Ainsi que Çavitrî faisons-nous impassibles,
12 Mais, comme elle, dans l'âme ayons un haut dessein.

SUB URBE

Les petits ifs du cimetière
Frémissent au vent hiémal,
3   Dans la glaciale lumière.

Avec des bruits sourds qui font mal,
Les croix de bois des tombes neuves
6   Vibrent sur un ton anormal.

Silencieux comme des fleuves,
Mais gros de pleurs comme eux de flots,
9   Les fils, les mères et les veuves

Par les détours du triste enclos
S'écoulent, — lente théorie, —
12   Au rhythme heurté des sanglots.

Le sol sous les pieds glisse et crie,
Là-haut de grands nuages tors
15   S'échevèlent avec furie.

Pénétrant comme le remords,
Tombe un froid lourd qui vous écœure
18   Et qui doit filtrer chez les morts,

Chez les pauvres morts, à toute heure
Seuls, et sans cesse grelottants,
21   — Qu'on les oublie ou qu'on les pleure! —

Ah! vienne vite le Printemps,
Et son clair soleil qui caresse,
24   Et ses doux oiseaux caquetants!

Refleurisse l'enchanteresse
Gloire des jardins et des champs
27   Que l'âpre hiver tient en détresse!

Et que, — des levers aux couchants, —
L'or dilaté d'un ciel sans bornes
30   Berce de parfums et de chants,

Chers endormis, vos sommeils mornes!

SÉRÉNADE

Comme la voix d'un mort qui chanterait
        Du fond de sa fosse,
Maîtresse, entends monter vers ton retrait
4   Ma voix aigre et fausse.

Ouvre ton âme et ton oreille au son
        De ma mandoline [16] :
Pour toi j'ai fait, pour toi, cette chanson
8   Cruelle et câline.

Je chanterai tes yeux d'or et d'onyx
    Purs de toutes ombres,
Puis le Léthé de ton sein, puis le Styx
12   De tes cheveux sombres.

Comme la voix d'un mort qui chanterait
    Du fond de sa fosse,
Maîtresse, entends monter vers ton retrait
16   Ma voix aigre et fausse.

Puis je louerai beaucoup, comme il convient,
    Cette chair bénie
Dont le parfum opulent me revient
20   Les nuits d'insomnie.

Et pour finir, je dirai le baiser
    De ta lèvre rouge,
Et ta douceur à me martyriser,
24   — Mon Ange! — ma Gouge!

Ouvre ton âme et ton oreille au son
    De ma mandoline :
Pour toi j'ai fait, pour toi, cette chanson
28   Cruelle et câline.

UN DAHLIA

Courtisane au sein dur, à l'œil opaque et brun
S'ouvrant avec lenteur comme celui d'un bœuf,
3 Ton grand torse reluit ainsi qu'un marbre neuf.

Fleur grasse et riche, autour de toi ne flotte aucun
Arome, et la beauté sereine de ton corps
6 Déroule, mate, ses impeccables accords.

Tu ne sens même pas la chair, ce goût qu'au moins
Exhalent celles-là qui vont fanant les foins,
9 Et tu trônes, Idole insensible à l'encens.

— Ainsi le Dahlia, roi vêtu de splendeur,
Élève sans orgueil sa tête sans odeur,
12 Irritant au milieu des jasmins agaçants !

NEVERMORE

Allons, mon pauvre cœur, allons, *mon vieux complice,*
Redresse et peins à neuf tous tes arcs triomphaux ;
Brûle un encens ranci sur tes autels d'or faux ;
Sème de fleurs les bords béants du précipice ;
5 Allons, mon pauvre cœur, allons, *mon vieux complice !*

Pousse à Dieu ton cantique, ô chantre rajeuni ;
Entonne, orgue enroué, des *Te Deum* splendides ;
Vieillard prématuré, mets du fard sur tes rides ;
Couvre-toi de tapis mordorés, mur jauni ;
10 Pousse à Dieu ton cantique, ô chantre rajeuni.

Sonnez, grelots ; sonnez, clochettes ; sonnez, cloches !
Car mon rêve impossible a pris corps, et je l'ai
Entre mes bras pressé : le Bonheur, cet ailé
Voyageur qui de l'Homme évite les approches,
15 — Sonnez, grelots ; sonnez, clochettes ; sonnez, cloches !

Le Bonheur a marché côte à côte avec moi ;
Mais la FATALITÉ ne connaît point de trêve :
Le ver est dans le fruit, le réveil dans le rêve,
Et le remords est dans l'amour : telle est la loi.
20 — Le Bonheur a marché côte à côte avec moi.

IL BACIO

Baiser ! rose trémière au jardin des caresses !
Vif accompagnement sur le clavier des dents
Des doux refrains qu'Amour chante en les cœurs ardents
4 Avec sa voix d'archange aux langueurs charmeresses !

Sonore et gracieux Baiser, divin Baiser !
Volupté nonpareille, ivresse inénarrable !

Salut! l'homme, penché sur ta coupe adorable,
8 S'y grise d'un bonheur qu'il ne sait épuiser.

Comme le vin du Rhin et comme la musique,
Tu consoles et tu berces, et le chagrin
Expire avec la moue en ton pli purpurin...
12 Qu'un plus grand, Goëthe ou Will, te dresse un vers clas-
[sique.

Moi, je ne puis, chétif trouvère de Paris,
T'offrir que ce bouquet de strophes enfantines :
Sois bénin, et pour prix, sur les lèvres mutines
16 D'Une que je connais, Baiser, descends, et ris.

DANS LES BOIS [17]

D'autres, — des innocents ou bien des lymphatiques, —
Ne trouvent dans les bois que charmes langoureux,
Souffles frais et parfums tièdes. Ils sont heureux!
4 D'autres s'y sentent pris — rêveurs — d'effrois mystiques.

Ils sont heureux! Pour moi, nerveux, et qu'un remords
Épouvantable et vague affole sans relâche,
Par les forêts je tremble à la façon d'un lâche
8 Qui craindrait une embûche ou qui verrait des morts.

Ces grands rameaux jamais apaisés, comme l'onde,
D'où tombe un noir silence avec une ombre encor
Plus noire, tout ce morne et sinistre décor
12 Me remplit d'une horreur triviale et profonde.

Surtout les soirs d'été : la rougeur du couchant
Se fond dans le gris bleu des brumes qu'elle teinte
D'incendie et de sang; et l'angélus qui tinte
16 Au lointain semble un cri plaintif se rapprochant.

Le vent se lève chaud et lourd, un frisson passe
Et repasse, toujours plus fort, dans l'épaisseur
Toujours plus sombre des hauts chênes, obsesseur,
20 Et s'éparpille, ainsi qu'un miasme, dans l'espace.

La nuit vient. Le hibou s'envole. C'est l'instant
Où l'on songe aux récits des aïeules naïves...
Sous un fourré, là-bas, là-bas, des sources vives
24 Font un bruit d'assassins postés se concertant.

NOCTURNE PARISIEN

A Edmond Lepelletier [18].

Roule, roule ton flot indolent, morne Seine. —
Sous tes ponts qu'environne une vapeur malsaine
Bien des corps ont passé, morts, horribles, pourris,
4 Dont les âmes avaient pour meurtrier Paris.
Mais tu n'en traînes pas, en tes ondes glacées,
Autant que ton aspect m'inspire de pensées!

Le Tibre a sur ses bords des ruines qui font
8 Monter le voyageur vers un passé profond,
Et qui, de lierre noir et de lichen couvertes,
Apparaissent, tas gris, parmi les herbes vertes.
Le gai Guadalquivir rit aux blonds orangers
12 Et reflète, les soirs, des boléros légers.
Le Pactole a son or, le Bosphore a sa rive
Où vient faire son kief l'odalisque lascive.
Le Rhin est un burgrave, et c'est un troubadour
16 Que le Lignon, et c'est un ruffian que l'Adour.
Le Nil, au bruit plaintif de ses eaux endormies,
Berce de rêves doux le sommeil des momies.
Le grand Meschascébé, fier de ses joncs sacrés,
20 Charrie augustement ses îlots mordorés,
Et soudain, beau d'éclairs, de fracas et de fastes,
Splendidement s'écroule en Niagaras vastes.
L'Eurotas, où l'essaim des cygnes familiers
24 Mêle sa grâce blanche au vert mat des lauriers,
Sous son ciel clair que raie un vol de gypaète,
Rhythmique et caressant, chante ainsi qu'un poète.
Enfin, Ganga, parmi les hauts palmiers tremblants
28 Et les rouges padmas, marche à pas fiers et lents
En appareil royal, tandis qu'au loin la foule
Le long des temples va hurlant, vivante houle,

Au claquement massif des cymbales de bois,
32 Et qu'accroupi, filant ses notes de hautbois,
Du saut de l'antilope agile attendant l'heure,
Le tigre jaune au dos rayé s'étire et pleure.

— Toi, Seine, tu n'as rien. Deux quais, et voilà tout,
36 Deux quais crasseux, semés de l'un à l'autre bout
D'affreux bouquins moisis et d'une foule insigne
Qui fait dans l'eau des ronds et qui pêche à la ligne.
Oui, mais quand vient le soir, raréfiant enfin
40 Les passants alourdis de sommeil ou de faim,
Et que le couchant met au ciel des taches rouges,
Qu'il fait bon aux rêveurs descendre de leurs bouges
Et, s'accoudant au pont de la Cité, devant
44 Notre-Dame, songer, cœur et cheveux au vent!
Les nuages, chassés par la brise nocturne,
Courent, cuivreux et roux, dans l'azur taciturne.
Sur la tête d'un roi du portail, le soleil,
48 Au moment de mourir, pose un baiser vermeil.
L'hirondelle s'enfuit à l'approche de l'ombre,
Et l'on voit voleter la chauve-souris sombre.
Tout bruit s'apaise autour. A peine un vague son
52 Dit que la ville est là qui chante sa chanson,
Qui lèche ses tyrans et qui mord ses victimes;
Et c'est l'aube des vols, des amours et des crimes.
— Puis, tout à coup, ainsi qu'un ténor effaré
56 Lançant dans l'air bruni son cri désespéré,
Son cri qui se lamente et se prolonge, et crie,
Éclate en quelque coin l'orgue de Barbarie :
Il brame un de ces airs, romances ou polkas,
60 Qu'enfants nous tapotions sur nos harmonicas
Et qui font, lents ou vifs, réjouissants ou tristes,
Vibrer l'âme aux proscrits, aux femmes, aux artistes.
C'est écorché, c'est faux, c'est horrible, c'est dur,
64 Et donnerait la fièvre à Rossini, pour sûr;
Ces rires sont traînés, ces plaintes sont hachées;
Sur une clef de sol impossible juchées,
Les notes ont un rhume et les *do* sont des *la*,
68 Mais qu'importe! l'on pleure en entendant cela!
Mais l'esprit, transporté dans le pays des rêves,
Sent à ces vieux accords couler en lui des sèves;

La pitié monte au cœur et les larmes aux yeux,
72 Et l'on voudrait pouvoir goûter la paix des cieux,
Et dans une harmonie étrange et fantastique
Qui tient de la musique et tient de la plastique,
L'âme, les inondant de lumière et de chant,
76 Mêle les sons de l'orgue aux rayons du couchant!

Et puis l'orgue s'éloigne, et puis c'est le silence,
Et la nuit terne arrive, et Vénus se balance
Sur une molle nue au fond des cieux obscurs;
80 On allume les becs de gaz le long des murs,
Et l'astre et les flambeaux font des zigzags fantasques
Dans le fleuve plus noir que le velours des masques;
Et le contemplateur sur le haut garde-fou
84 Par l'air et par les ans rouillé comme un vieux sou
Se penche, en proie aux vents néfastes de l'abîme.
Pensée, espoir serein, ambition sublime,
Tout, jusqu'au souvenir, tout s'envole, tout fuit,
88 Et l'on est seul avec Paris, l'Onde et la Nuit!

— Sinistre trinité! De l'ombre dures portes!
Mané-Thécel-Pharès des illusions mortes!
Vous êtes toutes trois, ô Goules de malheur,
92 Si terribles, que l'Homme, ivre de la douleur
Que lui font en perçant sa chair vos doigts de spectre,
L'Homme, espèce d'Oreste à qui manque une Électre,
Sous la fatalité de votre regard creux
96 Ne peut rien et va droit au précipice affreux;
Et vous êtes aussi toutes trois si jalouses
De tuer et d'offrir au grand Ver des épouses
Qu'on ne sait que choisir entre vos trois horreurs,
100 Et si l'on craindrait moins périr par les terreurs
Des Ténèbres que sous l'Eau sourde, l'Eau profonde,
Ou dans tes bras fardés, Paris, reine du monde!

— Et tu coules toujours, Seine, et, tout en rampant,
104 Tu traînes dans Paris ton cours de vieux serpent,
De vieux serpent boueux, emportant vers tes havres
Tes cargaisons de bois, de houille, et de cadavres!

MARCO

Quand Marco passait, tous les jeunes hommes
Se penchaient pour voir ses yeux, des Sodomes
3   Où les feux d'Amour brûlaient sans pitié
Ta pauvre cahute, ô froide Amitié;
Tout autour dansaient des parfums mystiques
6   Où l'âme en pleurant s'anéantissait,
Sur ses cheveux roux un charme glissait;
Sa robe rendait d'étranges musiques
9   Quand Marco passait.

Quand Marco chantait, ses mains sur l'ivoire
Évoquaient souvent la profondeur noire
12   Des airs primitifs que nul n'a redits,
Et sa voix montait dans les paradis
De la symphonie immense des rêves,
15   Et l'enthousiasme alors transportait
Vers des cieux *connus* quiconque écoutait
Ce timbre d'argent qui vibrait sans trêves
18   Quand Marco chantait.

Quand Marco pleurait, ses terribles larmes
Défiaient l'éclat des plus belles armes;
21   Ses lèvres de sang fonçaient leur carmin
Et son désespoir n'avait rien d'humain;
Pareil au foyer que l'huile exaspère,
24   Son courroux croissait, rouge, et l'on aurait
Dit d'une lionne à l'âpre forêt
Communiquant sa terrible colère
27   Quand Marco pleurait.

Quand Marco dansait, sa jupe moirée
Allait et venait comme une marée,
30   Et, tel qu'un bambou flexible, son flanc
Se tordait, faisant saillir son sein blanc :
Un éclair partait. Sa jambe de marbre,
33   Emphatiquement cynique, haussait
Ses mates splendeurs, et cela faisait
Le bruit du vent de la nuit dans un arbre
36   Quand Marco dansait.

Quand Marco dormait, oh! quels parfums d'ambre
Et de chair mêlés opprimaient la chambre!
39 Sous les draps la ligne exquise du dos
Ondulait, et dans l'ombre des rideaux
L'haleine montait, rhythmique et légère;
42 Un sommeil heureux et calme fermait
Ses yeux, et ce doux mystère charmait
Les vagues objets parmi l'étagère,
45   Quand Marco dormait.

Mais quand elle aimait, des flots de luxure
Débordaient, ainsi que d'une blessure
48 Sort un sang vermeil qui fume et qui bout,
De ce corps cruel que son crime absout;
Le torrent rompait les digues de l'âme,
51 Noyait la pensée, et bouleversait
Tout sur son passage, et rebondissait
Souple et dévorant comme de la flamme,
54   Et puis se glaçait.

CÉSAR BORGIA

PORTRAIT EN PIED

Sur fond d'ombre noyant un riche vestibule
Où le buste d'Horace et celui de Tibulle
Lointains et de profil rêvent en marbre blanc,
4 La main gauche au poignard et la main droite au flanc
Tandis qu'un rire doux redresse la moustache,
Le duc CÉSAR en grand costume se détache.
Les yeux noirs, les cheveux noirs et le velours noir
8 Vont contrastant, parmi l'or somptueux d'un soir,
Avec la pâleur mate et belle du visage
Vu de trois quarts et très ombré, suivant l'usage
Des Espagnols ainsi que des Vénitiens
12 Dans les portraits de rois et de patriciens.
Le nez palpite, fin et droit. La bouche, rouge,
Est mince, et l'on dirait que la tenture bouge

Au souffle véhément qui doit s'en exhaler.
16 Et le regard errant avec laisser-aller
Devant lui, comme il sied aux anciennes peintures,
Fourmille de pensers énormes d'aventures.
Et le front, large et pur, sillonné d'un grand pli,
20 Sans doute de projets formidables rempli,
Médite sous la toque où frissonne une plume
S'élançant hors d'un nœud de rubis qui s'allume.

LA MORT DE PHILIPPE II

A Louis-Xavier de Ricard.

Le coucher d'un soleil de septembre ensanglante
La plaine morne et l'âpre arête des sierras
3 Et de la brume au loin l'installation lente.

Le Guadarrama pousse entre les sables ras
Son flot hâtif qui va réfléchissant par places
6 Quelques oliviers nains tordant leurs maigres bras.

Le grand vol anguleux des éperviers rapaces
Raye à l'ouest le ciel mat et rouge qui brunit,
9 Et leur cri rauque grince à travers les espaces.

Despotique, et dressant au-devant du zénith
L'entassement brutal de ses tours octogones,
12 L'Escurial étend son orgueil de granit.

Les murs carrés, percés de vitraux monotones,
Montent droits, blancs et nus, sans autres ornements
15 Que quelques grils sculptés qu'alternent des couronnes.

Avec des bruits pareils aux rudes hurlements
D'un ours que des bergers navrent de coups de pioches
18 Et dont l'écho redit les râles alarmants,

Torrent de cris roulant ses ondes sur les roches
Et puis s'évaporant en des murmures longs,
21 Sinistrement dans l'air du soir tintent les cloches.

Par les cours du palais, où l'ombre met ses plombs,
Circule — tortueux serpent hiératique —
24 Une procession de moines aux frocs blonds

Qui marchent un par un, suivant l'ordre ascétique,
Et qui, pieds nus, la corde aux reins, un cierge en main,
27 Ululent d'une voix formidable un cantique.

— Qui donc ici se meurt ? Pour qui sur le chemin
Cette paille épandue et ces croix long-voilées
30 Selon le rituel catholique romain ? —

La chambre est haute, vaste et sombre. Niellées,
Les portes d'acajou massif tournent sans bruit,
33 Leurs serrures étant, comme leurs gonds, huilées.

Une vague rougeur plus triste que la nuit
Filtre à rais indécis par les plis des tentures
36 A travers les vitraux où le couchant reluit,

Et fait papilloter sur les architectures,
A l'angle des objets dans l'ombre du plafond,
39 Ce halo singulier qu'on voit dans les peintures.

Parmi le clair-obscur transparent et profond
S'agitent effarés des hommes et des femmes
42 A pas furtifs, ainsi que les hyènes font.

Riches, les vêtements des seigneurs et des dames,
Velours, panne, satin, soie, hermine et brocart,
45 Chantent l'ode du luxe en chatoyantes gammes,

Et, trouant par éclairs distancés avec art
L'opaque demi-jour, les cuirasses de cuivre
48 Des gardes alignés scintillent de trois quart.

Un homme en robe noire, à visage de guivre,
Se penche, en caressant de la main ses fémurs,
51 Sur un lit, comme l'on se penche sur un livre.

Des rideaux de drap d'or roides comme des murs
Tombent d'un dais de bois d'ébène en droite ligne,
54 Dardant à temps égaux l'œil des diamants durs.

Dans le lit, un vieillard d'une maigreur insigne
Égrène un chapelet, qu'il baise par moment,
57 Entre ses doigts crochus comme des brins de vigne.

Ses lèvres font ce sourd et long marmottement,
Dernier signe de vie et premier d'agonie,
60 — Et son haleine pue épouvantablement.

Dans sa barbe couleur d'amarante ternie,
Parmi ses cheveux blancs où luisent des tons roux
63 Sous son linge bordé de dentelle jaunie,

Avides, empressés, fourmillants, et jaloux
De pomper tout le sang malsain du mourant fauve,
66 En bataillons serrés vont et viennent les poux.

C'est le Roi, ce mourant qu'assiste un mire chauve,
Le Roi Philippe Deux d'Espagne, — Saluez! —
69 Et l'aigle autrichien s'effare dans l'alcôve,

Et de grands écussons, aux murailles cloués,
Brillent, et maints drapeaux où l'oiseau noir s'étale
72 Pendent deçà delà, vaguement remués!...

— La porte s'ouvre. Un flot de lumière brutale
Jaillit soudain, déferle et bientôt s'établit
75 Par l'ampleur de la chambre en nappe horizontale;

Porteurs de torches, roux, et que l'extase emplit,
Entrent dix capucins qui restent en prière :
78 Un d'entre eux se détache et marche droit au lit.

Il est grand, jeune et maigre, et son pas est de pierre,
Et les élancements farouches de la Foi
81 Rayonnent à travers les cils de sa paupière;

Son pied ferme et pesant et lourd, comme la Loi,
Sonne sur les tapis, régulier, emphatique;
84 Les yeux baissés en terre, il marche droit au Roi.

Et tous sur son trajet dans un geste extatique
S'agenouillent, frappant trois fois du poing leur sein;
87 Car il porte avec lui le sacré Viatique.

Du lit s'écarte avec respect le matassin,
Le médecin du corps, en pareille occurrence,
90 Devant céder la place, Ame, à ton médecin.

La figure du Roi, qu'étire la souffrance,
A l'approche du fray [19] se rassérène un peu.
93 Tant la religion est grosse d'espérance!

Le moine cette fois ouvrant son œil de feu
Tout brillant de pardons mêlés à des reproches,
96 S'arrête, messager des justices de Dieu.

— Sinistrement dans l'air du soir tintent les cloches.

Et la Confession commence. Sur le flanc
Se retournant, le roi, d'un ton sourd, bas et grêle,
100 Parle de feux, de juifs, de bûchers et de sang.

— « Vous repentiriez-vous par hasard de ce zèle ?
« Brûler des juifs, mais c'est une dilection!
103 « Vous fûtes, ce faisant, orthodoxe et fidèle. » —

Et, se pétrifiant dans l'exaltation,
Le Révérend, les bras en croix, tête dressée,
106 Semble l'esprit sculpté de l'Inquisition.

Ayant repris haleine, et d'une voix cassée,
Péniblement, et comme arrachant par lambeaux
109 Un remords douloureux du fond de sa pensée,

Le Roi, dont la lueur tragique des flambeaux
Éclaire le visage osseux et le front blême,
112 Prononce ces mots : Flandre, Albe, morts, sacs, tombeaux.

— « Les Flamands, révoltés contre l'Église même,
« Furent très justement punis, à votre los,
115 « Et je m'étonne, ô Roi, de ce doute suprême.

« Poursuivez. » — Et le Roi parla de don Carlos.
Et deux larmes coulaient tremblantes sur sa joue
118 Palpitante et collée affreusement à l'os.

— « Vous déplorez cet acte, et moi je vous en loue!
« L'Infant, certes, était coupable au dernier point,
121 « Ayant voulu tirer l'Espagne dans la boue

« De l'hérésie anglaise, et de plus n'ayant point
« Frémi de conspirer, — ô ruses abhorrées! —
124 « Et contre un Père, et contre un Maître, et contre un
                                                [Oint!»

Le moine ensuite dit les formules sacrées
Par quoi tous nos péchés nous sont remis, et puis,
127 Prenant l'Hostie avec ses deux mains timorées,

Sur la langue du Roi la déposa. Tous bruits
Se sont tus, et la Cour, pliant dans la détresse,
130 Pria, muette et pâle, et nul n'a su depuis

Si sa prière fut sincère ou bien traîtresse.
— Qui dira les pensers obscurs que protégea
133 Ce silence, brouillard complice qui se dresse? —

Ayant communié, le Roi se replongea
Dans l'ampleur des coussins, et la béatitude
136 De l'Absolution reçue ouvrant déjà

L'œil de son âme au jour clair de la certitude,
Épanouit ses traits en un sourire exquis
139 Qui tenait de la fièvre et de la quiétude.

Et tandis qu'alentour ducs, comtes et marquis,
Pleins d'angoisses, fichaient leurs yeux sous la courtine,
142 L'âme du Roi mourant montait aux cieux conquis.

Puis le râle des morts hurla dans la poitrine
De l'auguste malade avec des sursauts fous :
145 Tel l'ouragan passe à travers une ruine.

Et puis, plus rien; et puis, sortant par mille trous,
Ainsi que des serpents frileux de leur repaire,
148 Sur le corps froid les vers se mêlèrent aux poux.

— Philippe Deux était à la droite du Père.

ÉPILOGUE

I

Le soleil, moins ardent, luit clair au ciel moins dense.
Balancés par un vent automnal et berceur,
Les rosiers du jardin s'inclinent en cadence.
4 L'atmosphère ambiante a des baisers de sœur.

La Nature a quitté, pour cette fois son trône
De splendeur, d'ironie et de sérénité :
Clémente, elle descend, par l'ampleur de l'air jaune,
8 Vers l'homme, son sujet pervers et révolté.

Du pan de son manteau que l'abîme constelle,
Elle daigne essuyer les moiteurs de nos fronts,
Et son âme éternelle et sa forme immortelle
12 Donnent calme et vigueur à nos cœurs mous et prompts.

Le frais balancement des ramures chenues,
L'horizon élargi plein de vagues chansons,
Tout, jusqu'au vol joyeux des oiseaux et des nues,
16 Tout aujourd'hui console et délivre. — Pensons.

II

Donc, c'en est fait. Ce livre est clos. Chères Idées
Qui rayiez mon ciel gris de vos ailes de feu
Dont le vent caressait mes tempes obsédées,
20 Vous pouvez revoler devers l'Infini bleu !

Et toi, Vers qui tintais, et toi, Rime sonore,
Et vous, Rhythmes chanteurs, et vous, délicieux
Ressouvenirs, et vous, Rêves, et vous encore,
24 Images qu'évoquaient mes désirs anxieux,

Il faut nous séparer. Jusqu'aux jours plus propices
Où nous réunira l'Art, notre maître, adieu,
Adieu, doux compagnons, adieu, charmants complices!
28 Vous pouvez revoler devers l'Infini bleu.

Aussi bien, nous avons fourni notre carrière
Et le jeune étalon de notre bon plaisir,
Tout affolé qu'il est de sa course première,
32 A besoin d'un peu d'ombre et de quelque loisir.

— Car toujours nous t'avons fixée, ô Poésie,
Notre astre unique et notre unique passion,
T'ayant seule pour guide et compagne choisie,
36 Mère, et nous méfiant de l'Inspiration.

III

Ah! l'Inspiration superbe et souveraine,
L'Égérie aux regards lumineux et profonds,
Le Genium commode et l'Érato soudaine,
40 L'Ange des vieux tableaux avec des ors au fond,

La Muse, dont la voix est puissante sans doute,
Puisqu'elle fait d'un coup dans les premiers cerveaux,
Comme ces pissenlits dont s'émaille la route,
44 Pousser tout un jardin de poèmes nouveaux,

La Colombe, le Saint-Esprit, le saint Délire,
Les Troubles opportuns, les Transports complaisants,
Gabriel et son luth, Apollon et sa lyre,
48 Ah! l'Inspiration, on l'invoque à seize ans!

Ce qu'il nous faut à nous, les Suprêmes Poètes
Qui vénérons les Dieux et qui n'y croyons pas,
A nous dont nul rayon n'auréola les têtes,
52 Dont nulle Béatrix n'a dirigé les pas,

A nous qui ciselons les mots comme des coupes
Et qui faisons des vers émus très froidement,
A nous qu'on ne voit point les soirs aller par groupes
56 Harmonieux au bord des *lacs* et nous pâmant,

Ce qu'il nous faut à nous, c'est, aux lueurs des lampes,
La science conquise et le sommeil dompté,
C'est le front dans les mains du vieux Faust des estampes,
60 C'est l'Obstination et c'est la Volonté!

C'est la Volonté sainte, absolue, éternelle,
Cramponnée au projet comme un noble condor
Aux flancs fumants de peur d'un buffle, et d'un coup d'aile
64 Emportant son trophée à travers les cieux d'or!

Ce qu'il nous faut à nous, c'est l'étude sans trêve,
C'est l'effort inouï, le combat nonpareil,
C'est la nuit, l'âpre nuit du travail, d'où se lève
68 Lentement, lentement, l'Œuvre, ainsi qu'un soleil!

Libre à nos Inspirés, cœurs qu'une œillade enflamme,
D'abandonner leur être aux vents comme un bouleau;
Pauvres gens! l'Art n'est pas d'éparpiller son âme :
72 Est-elle en marbre, ou non, la Vénus de Milo?

Nous donc, sculptons avec le ciseau des Pensées
Le bloc vierge du Beau, Paros immaculé,
Et faisons-en surgir sous nos mains empressées
76 Quelque pure statue au péplos étoilé,

Afin qu'un jour, frappant de rayons gris et roses
Le chef-d'œuvre serein, comme un nouveau Memnon,
L'Aube-Postérité, fille des Temps moroses,
80 Fasse dans l'air futur retentir notre nom!

CONFESSIONS

PREMIÈRE PARTIE

On m'a demandé des « notes sur ma vie ». C'est bien modeste, « notes »; mais « sur ma vie », c'est quelque peu ambitieux. N'importe, sans plus m'appesantir, tout simplement, — en choisissant, élaguant, éludant ? pas trop, — m'y voici :

Je suis né, en 1844, à Metz, au n° 2 d'une rue Haute-Pierre, en face de l'École d'application pour les futurs officiers du Génie et de l'Artillerie. Je me rappelle une petite maison où j'allai jusqu'à l'épellation inclusivement, dans une rue aux Ours, chez une demoiselle très *gâteau,* et c'est tout le souvenir que j'ai d'elle et de mes études sous sa direction. De notre premier étage je voyais tous les matins passer à cheval la longue file des élèves de l'École d'application en petite ou en grande tenue, selon les jours, des sous-lieutenants des deux armes savantes, et mon petit cœur tout militaire trottait, galopait derrière eux, Dieu sait comme! Mon père était capitaine du Génie, et chez mes parents c'était souvent le tour des choses de l'armée, dans les conversations, et des officiers du régiment aux soirées hebdomadaires, whist, et thé, qui s'y donnaient. J'étais si fier du bel uniforme paternel : habit à la française au plastron de velours avec ses deux décorations d'Espagne et de France, Alger et Trocadéro, bicorne à plumes tricolores de capitaine-adjudant-major, l'épée, le bien ajusté pantalon bleu-foncé à bandes rouges et noires, à sous-pieds! si fier aussi de son port superbe d'homme de très haute taille, « comme on n'en fait plus »,

visage martial et doux, où néanmoins l'habitude du commandement n'avait pas laissé de mettre un pli d'autorité
qui m'imposait et faisait bien, car j'étais mauvais comme
un diable quand on me tolérait trop d'espièglerie.

Ma pauvre mère en savait long là-dessus, que son
extrême bonté n'empêchait pas toutefois, si les choses
allaient à l'excès de mon côté, d'en venir du sien aux
justes extrémités. Plus tard, beaucoup plus tard, quand
j'eus grandi, à quoi bon ? vieilli, pourquoi ? elle était
coutumière, vaincue à la fin par mon adolescence tumultueuse et ma maturité pire dans l'espèce, de me dire,
lors de nos scènes, en forme de menaces auxquelles elle
savait bien que je ne croirais pas : « Tu verras, tu en
feras tant qu'un jour je m'en irai sans que jamais tu
saches où je suis. » Non, elle ne devait pas réaliser ces
paroles, et la preuve, c'est qu'elle est morte d'un refroidissement contracté en me soignant de la maladie qui
me tient encore. Eh bien, je rêve souvent, presque toujours, d'elle : nous nous querellons, je sens que j'ai tort,
je vais le lui avouer, implorer la paix, tomber à ses
genoux, plein de quelle peine de l'avoir contristée, de
quelle affection désormais tout à elle et pour elle... Elle
a disparu ! et le reste de mon rêve se perd dans l'angoisse
croissante d'une infinie recherche inutile. Au réveil, ô joie !
ma mère ne m'a pas quitté, tout ça n'est pas vrai, mais,
coup toujours terrible, la mémoire me revient : ma mère
est morte, ça c'est vrai !

Il ne faudrait pas conclure de là que je fusse un enfant
pervers ou méchant. J'avais mes moments fréquents de
gentillesse et il suffit, pour en être convaincu, de voir
mon portrait fait quand j'avais quatre ans, portrait dont
l'original est actuellement en la possession de mon ami
Raymond de la Tailhède qui le tient du si regretté
Jules Tellier à qui je l'avais donné. J'y suis représenté
en petit bonnet à ruches surmonté d'un bourrelet blanc
et *bleu*. (Mon prénom de Marie m'avait voué à la Sainte
Vierge qui s'est souvenue de son filleul vers 1873-1874,
époque où j'écrivais *Sagesse* si sincèrement!). On me
reconnaît encore dans cette d'ailleurs assez jolie gouache.
J'y ai les yeux bleus, qui ont, si je puis ainsi parler,
grisonné depuis, avec une bouche à la lèvre supérieure

en avant et l'air foncièrement naïf et bon. Ai-je tant changé
que ça ? En laid, oui ; en mal ? Je ne crois pas.

Outre mes parents j'avais une cousine, de huit ans
plus âgée que moi, orpheline du côté de ma mère, que
celle-ci et mon père avaient recueillie et élevaient comme
leur propre fille. J'ai toujours eu pour elle l'affection d'un
jeune frère et elle m'aimait tendrement.

Pauvre chère cousine Élisa! Elle fut la particulière
douceur de mon enfance dont elle partagea et protégea
longtemps les jeux ; parfois, dans les commencements,
elle fut un peu, enfant elle-même, la complice innocente
des malices et plutôt encore l'inspiratrice des gentillesses
puériles qui constituèrent ma vie morale de ces années-là.
Elle taisait mes grosses fautes, exaltait mes petits mérites,
me grondait si gentiment entre temps. Avec l'âge, ce
furent de bons conseils, des exemples aussi de soumission, de déférence et de prévenance qu'elle me donnait
et dont je profitais plus ou moins — et c'était une petite
mère sous la grande, une autorité non plus douce, non
plus chère, mais comme de plus près encore. Quand elle
se maria, pour mourir, hélas! quelques années après, notre
affection continua la même, et, que disais-je plus haut ?
complice encore de mes malices d'alors, ce fut elle qui
me fournit l'argent nécessaire à la publication de mon
premier livre, ces *Poèmes saturniens* où éclate bien le
moi fantasque et quelque peu farouche que j'étais...

A l'époque de ma toute petite enfance à laquelle je
reviens après cet écart en avant, les régiments se dépla-
çaient fréquemment. Celui de mon père dut quitter Metz
peu après ma naissance et rejoindre à Montpellier. De
ce séjour j'ai surtout à la mémoire de très somptueuses
processions religieuses où des jeunes gens de la ville
en robes monacales de diverses couleurs, la plupart du
temps blanches, avec des cagoules rabattues sur la tête,
percées de trois trous pour la vue et la respiration, se
joignaient, qui m'effrayaient passablement. C'est *pénitents* qu'on les nommait et qu'on les nomme encore ; moi
je les appelais « les fantômes »!

Dans la maison où nous demeurions, il y avait deux
vieilles filles, marchandes de jouets, à qui ma bonne me
confiait quand mes parents sortaient le soir. C'était pour

moi le paradis, naturellement, cette boutique! J'ai encore
dans les yeux les resplendissants Polichinelles, joie et
terreur, et tous ces tambours et toutes ces trompettes
et les chariots sans nombre, et la pelle et le seau pour
les trous dans le sable, et les paysages en boîte pour
l'éparpillement des soldats de plomb grands comme les
arbres aux feuilles de copeaux et plus petits que les moutons, et les bergers de Nuremberg ou supposés tels, et
tant et plus d'autres merveilles! Un soir d'hiver que
j'étais sur les genoux d'une de ces demoiselles, prêt à
m'assoupir, charmé de voir, à travers mes cils se rapprochant qui me kaléidoscopaient les choses, écumer sous
le couvercle soulevé et d'entendre, parmi les bruits
indistincts du demi-sommeil, chanter l'eau d'une bouil-
lote, j'eus l'idée, je m'en souviens comme d'hier et je
crois, tellement *j'y suis*, que j'aurais encore l'idée, —
l'idée! — de plonger ma main droite dans la belle eau
d'argent frisé qui faisait de si jolie musique. Le résultat,
vous pensez bien, fut une effroyable brûlure grâce à
laquelle je restai longtemps privé de l'usage d'un bras et
suis demeuré aussi adroit ou maladroit d'une main que
de l'autre, ce qui se terme ambidextre, si je ne me trompe.

Le Peyrou! Qu'il y faisait chaud sous ces arbres
comme noirs, au long de ces haies épaisses comme des
murs! J'en revenais tout sale de terre tripotée et tout
essoufflé d'avoir couru dans les allées d'ombre moite et
de soleil pulvérulent.

Ma grande aventure à Montpellier fut celle du scorpion. Pierre-et-Paul [20], l'un des biographes qui exercent
sous le Vanier des *Hommes d'aujourd'hui*, l'a racontée
en l'héroïsant quelque peu. Voici la vérité stricte : on
m'avait fait un verre d'eau sucrée que j'allais boire,
quand, en agitant la petite cuiller pour que le sucre
fondît, j'aperçus quelques chose d'anormal parmi l'effer-
vescence des bulles d'air montant et descendant en tournoyant. Ce quelque chose était un scorpion de la plus
ténue espèce, transparent et presque invisible, telle une
crevette en miniature, dans son tortillement comme
fondu dans l'agitation de l'eau. Plagiaire inconscient de
Victor Hugo en lisière [21] s'exclamant devant son frère
nouveau-né, je m'écriai : « bébéte! » — et le malencon-

treux petit monstre mourut, non pas avalé, ainsi que l'affirme l'inexact anecdotier du Quai Saint-Michel, mais des suites d'avoir été jeté au feu séance tenante.

II

Il était écrit que je ne devais pas avoir de chance en ce qui concernait la « faune » — si je puis m'exprimer ainsi, ce que je crois peu — de Montpellier, car quelque temps après mes démêlés avec le scorpion dont il vient d'être question, étant tombé malade, je dus subir l'application d'une sangsue qui poussa le zèle et l'amour du métier si loin que, ma bonne s'étant endormie au lieu de surveiller les progrès normaux de l'opération et de retirer l'avide hirudinée juste après le temps moral d'une succion consciencieuse, lorsque ma mère, revenue d'une course, entra dans la chambre où j'étais couché, pour s'enquérir, elle trouva mon petit lit tout rouge de sang et moi en syncope. Je me tirai ou plutôt on me tira encore du mauvais pas, mais j'attribuerais volontiers ma pâleur de visage et l'extrême blancheur générale de ma peau à ce menu mais sérieux incident de mes tendres années.

Là se bornent, autant que ma mémoire me sert, mes malheurs vis-à-vis des animaux de là-bas, à moins que je n'admette dans cette hostile ménagerie l'insecte célébré par Boileau, je pense,

J'ai rendu mille amants envieux de mon sort

(est-ce bien cela, au moins ? la citation est-elle juste ?) et qui pullule, ou du moins pullulait, de mon temps, dans la bonne ville, au point que les habitants y étaient faits et avaient même des caresses de langage à son endroit. Que de fois ai-je et n'ai-je pas entendu de bonnes gens du cru appeler ces lestes et trop lestes, animalcules, « mimis »! Du reste il était — cette coutume existe-t-elle toujours ? — une façon pour, par exemple, les revendeuses du marché, de s'en débarrasser, bien typique. Toutes avaient en réserve une pièce de flanelle qu'elles dénommaient *pistolet* et dès qu'elles se trouvaient plus agacées

que de coutume par l'indiscrète bestiole, elles saisissaient
vite leur arme et pan! sur le bras, pan! dans le cou,
pan! sous la jupe, elles frappaient l'ennemi, le tenaient
prisonnier dans les poils de l'étoffe, et clic et clac! d'un
revers d'ongle, c'en était fait ce de pauvre « mimi »...
en attendant les autres.

> Lorsque tu cherches tes puces
> C'est très rigolo.
> Quelles ruses, que d'astuces !
> J'aime ce tableau [22].

Je vis Cette, Nîmes, ou plutôt j'y allai, car rien ne me
revient de ces villes que, dans la dernière, le bruit des
coups de fusil de la guerre civile entre Protestants et
Catholiques et notre angoisse à ma mère et à moi, (ma
cousine était restée à Metz, en pension, chez les Dames
de Sainte-Chrétienne) car mon père faisait partie d'un
détachement de troupes envoyé de Montpellier pour
rétablir l'ordre, et ma mère avait voulu suivre mon père...

Il y a bien aussi un chemin de fer, combien primitif!
dont le très vague souvenir s'estompe quand j'y pense,
surtout un chapeau de paille tout neuf envolé par une
portière où je m'étais penché contre le vent. Du vraisemblable grand émoi en présence d'un spectacle nouveau
tel, d'une pareille sensation éprouvée pour le première
fois, une locomotive en action, un train s'ébranlant, rien,
non rien, ne m'est resté. L'enfant a si peu vu, si peu
éprouvé, qu'il peut à peine comparer et que l'étonnement
n'est nécessairement que très faible sinon tout à fait nul
en lui. Un jour, en Angleterre, un petit garçon dans les
âges que je pouvais avoir à cette époque de mes « notes »,
voyait pour la première fois tomber de la neige et paraissait profondément attentif. Ceci se passait à un rez-de-
chaussée, et la cour, devant la fenêtre d'où mon jeune
ami observait le temps, était toute blanche déjà. Une
servante ouvrit alors la porte qui donnait sur cette cour
et allait sortir, quand Master Georgie s'interrompant de
sa contemplation qui était peut-être bien de la médita-
tion spéculative à sa manière, de s'écrier cautieusement :
« Mind the salt ! (prenez garde au sel). »

Mais je ne veux pas quitter Montpellier sur des tableaux aussi peu relevés. La mémoire m'en fournit un plus important auquel vous participerez, après quoi je dirai un adieu sans doute définitif à un pays où je ne suis jamais retourné et qu'il est bien invraisemblable que je revoie de ma désormais passablement sédentaire et forcément parisienne chienne de vie!

Quarante-huit avait eu lieu pendant notre séjour à Montpellier, et j'assistai, que dis-je j'assiste encore aujourd'hui, tant les choses, cette fois, sont nettes et comme enluminées devant moi qui *les vois* à quarante-six ans d'intervalle! à la proclamation de la République ou plutôt à la solennisation de cette haute formalité. J'étais en grande tenue de petit garçon de quatre ans, collerette de broderie, pantalon brodé aussi à mi-jambes, casquette à long gland pendant sur le côté, d'ailleurs bien emmitouflé, car février n'est pas sans rigueurs, quelquefois, dans ce Midi qui n'a rien de moins immuable que son soleil tant vanté, sur l'estrade de la place d'armes où les dames de l'Administration et de l'Armée étalaient leurs toilettes quasiment printanières, plumes, fleurs, bavolets, volants, faces-à-l'œil, éventails, écharpes et shalls, tandis que le préfet tout en argent et le commissaire du Gouvernement provisoire, gilet un peu à la Robespierre, tous deux largement ceinturés de tricolore, haranguaient les troupes de la garnison qui défilèrent ensuite au son des musiques jouant *La Marseillaise* que chantaient à tue-tête mille et mille voix gutturales fortement alliacées. Telle se fit ma première connaissance avec l'Hymne national et la « Forme définitive de notre Démocratie! » comme venaient de dire les deux citoyens officiels dont il a été fait mention ci-dessus.

Retour à Metz. Je ne puis parler, pour la dernière fois aussi, de cette ville où je ne suis pas retourné non plus, voilà tant de temps de cela! et où probablement je mourrai sans être retourné, également, je ne puis parler de ma ville natale sans quelque émotion bien compréhensible, car d'abord j'y ai vécu peu d'années, d'accord, mais c'est là, en définitive, que je me suis ouvert, esprit et sens, à cette vie qui devait m'être en somme si intéressante! Puis, n'est-elle pas, cette noble et malheureuse

ville, tombée glorieusement et tragiquement, abominablement tragiquement! après quels combats immortels!
par la seule trahison, trahison comme il n'en est pas
dans l'histoire, entre les mains de l'ennemi héréditaire?
Si bien que pour rester Français, à vingt-huit ans, après
avoir accompli tous mes devoirs civiques et sociaux en
France et comme Français, et m'être sans que rien m'y
forçât que le patriotisme (la suite de ces notes le démon-
trera), mêlé la guerre arrivée, à la défense nationale dans
la mesure de mon possible, je dus, en 1872, opter à
Londres, où m'avaient jeté les suites de la guerre sociale
après la guerre civile et la guerre étrangère, en faveur de
la nationalité... de ma naissance!

... Il y a des destinées vraiment. Mon père aussi qui
s'était *engagé* (n'avait pas été requis) *à seize ans* dans les
armées de Napoléon Ier, qui avait fait campagne en
1814 et 1815, s'était vu obligé, après le 18 juin de cette
dernière année, d'opter, pour continuer de servir sous nos
drapeaux, sous prétexte qu'il était né, Français, dans ce
département des Forêts que les traités imposés par le
triomphe de la Sainte-Alliance enclavèrent de force, et
bien de force! dans le royaume improvisé des Pays-Bas
et qui fait aujourd'hui partie de la province du Luxembourg belge.

Un homme d'esprit a dit qu'être né dans une écurie
ne suffit pas pour être cheval. J'admets le mot pour
l'*étranger* qui voit le jour en tel ou tel pays, au hasard
d'un passage [23] ou d'une mission de ses parents. Là ne fut
jamais mon cas et c'est pourquoi cette émotion très réelle
dont j'ai parlé et que je ressens toujours quand il est
question, parfois trop légèrement, de cette Alsace-
Lorraine qu'on semble avoir un peu oubliée ou même
traiter, déjà! dans quelques milieux, de quantité négli-
geable.

Ce fut par Lyon et Châlons que nous revînmes à
Metz, c'est-à-dire par le Rhône et la Saône. De ces deux
fleuves, pas de nouvelles en ma mémoire quant à ces
temps-là, (j'ai revu récemment la Saône qui m'a fort
impressionné avec son Lamartine en coup de vent [24])
sinon que l'eau était grosse autour des roues du vapeur et
que j'en fus souvent arrosé, à mon grand amusement

assaisonné d'une pointe de peur. On coucha à Lyon dans
un hôtel sur un quai, et je voyais de mon lit, à mon réveil,
se balancer une longue voile noire à travers les fins rideaux
ramagés de la fenêtre...

III

Retour, donc, à Metz, où le régiment de mon père
était mandé à nouveau.

J'ai déjà décrit quelque peu de mon Metz enfantin.
Ce que je m'en suis laissé à raconter n'a guère rien de
bien frappant : c'est l'au-jour-le-jour de l'existence, de
la croissance plutôt, d'un petit qui devient grandelet.
« Le petit », c'est ainsi qu'on me désignait dans la maison
et que l'on continua de me désigner bien longtemps,
même quand j'eus poussé en un grand flandrin qu'exaspérait alors ce mot de « petit », si doux aujourd'hui à mes
vieilles oreilles orphelines qui ne l'entendent plus qu'en
rêve, parfois, rêve aux tristes, bien tristes sursauts !

Ce petit donc que j'étais, et qui ne grandissait pas trop,
ni même assez, en sagesse, néanmoins s'éveillait aux
choses d'alentour. Les yeux surtout chez moi furent
précoces : je fixais tout, rien ne m'échappait des aspects,
j'étais sans cesse en chasse de formes, de couleurs,
d'ombres. Le jour me fascinait et bien que je fusse poltron
dans l'obscurité, la nuit m'attirait, une curiosité m'y
poussait, j'y cherchais je ne sais quoi, du blanc, du gris,
des nuances peut-être. C'est sans doute à ces dispositions
que je dus, si devoir il y avait là! d'avoir un goût des
plus précoces et très réel pour le gribouillage d'encre
et de crayon et de délayage de laque carminée, de bleu
de Prusse et de gomme-gutte sur tous les bouts de papier
me tombant sous la main, qui est proprement ce que l'on
baptise d'ordinaire vocation vers la peinture. Je dessinais
d'épileptiques bonshommes que j'enluminais férocement;
mes bonshommes étaient principalement des soldats dont
l'anatomie consistait en 8 superposés à des 11, et des
dames en grands falbalas figurés par d'incohérents
paraphes, le tout apparaissant sans buts autres que d'être
là, très violemment. Le tout en deux traits et trois coups

de plume, de crayon et de pinceau. Le doigt se chargeait le plus souvent d'effacer brutalement les « dessins » dont je n'étais pas content, quand ce n'était pas la langue qui se chargeait de l'exécution. J'ai gardé de ces « essais » la manie de noircir les marges de mes manuscrits et le corps de mes lettres intimes d'illustrations informes que de vils flatteurs font semblant de trouver drôles. Qui sait ? j'eusse pu être un grand peintre en place de ce poète-ci. L'Institut au lieu de l'hôpital, un petit hôtel aux Champs-Élysées et ses accessoires, et non pas la chambre en garni et ses conséquences, une brochette à la boutonnière gauche au lieu de ce tas de croix sur les deux épaules !

Voilà pourtant ce que c'est que de manquer à sa véritable vocation !

Car de vocation vers la poésie, je ne crois pas que j'en eusse la moindre à ce moment. J'étais le plus pratique des êtres de ma taille, gourmand pas trop, paresseux juste au point, assez joueur, et qui dormait bien quand il n'avait pas trop gambadé ni bavardé dans la journée. Je n'ai jamais été mélancolique de ma vie. Ce n'était pas pour être taciturne d'habitude non plus que coutumièrement expansif *in illo tempore*. Bref un parfait petit bourgeois, un « équilibré » s'il en fut. On change !

Faut-il toutefois mettre au rang des symptômes qu'un psychologue pourrait découvrir dans l'espèce, une tendance à l'amativité que j'avais dès lors ? Il me semble que non, car le poète, même dans le sens le plus banal du mot, peut très bien n'avoir pas cette tendance-là. Sa lyre n'a pas sept cordes à son arc précisément pour rien. Donc, sans le moins du monde vouloir tirer aucune conclusion de la manière de petite idylle très authentique qui va suivre, je vais, tout bonnement pour m'amuser du ramentevoir et tâcher de vous y intéresser, vous la raconter par le menu. Ce n'est pas la seule « histoire d'amour » que pourraient contenir ces *Confessions* (puisque l'on a empanaché mes simples « notes » d'un tel redoutable *sur*-titre) où l'on en lirait bien d'autres et de bien autres, pour ma confusion ! Celle-ci du moins a le mérite d'être innocente s'il en fut jamais !

Metz possédait et doit encore posséder une très belle promenade appelée « l'Esplanade », donnant en terrasse

sur la Moselle qui s'y étale, large et pure, au pied de col-
lines fertiles en raisins et d'un aspect des plus agréables.
Sur la droite de ce paysage, en retrait vers la ville, la
cathédrale profile à une bonne distance panoramique
son architecture dentelée à l'infini. Vers la nuit tombante,
des nuées de corbeaux reviennent en croassant, faut-il
dire joyeusement ? reposer devers les innombrables tou-
relles et tourillons qui se dressent sur le ciel violet. Au
centre de la promenade s'élevait, et doit encore s'élever,
une élégante estrade destinée aux concerts militaires qui
avaient lieu les jeudis après-midi et les dimanches d'ensuite de vêpres. Le « tout-Metz » flâneur ou désœuvré,
s'y donnait ces jours-là à ces heures-là, rendez-vous. Toilettes, grands et petits saluts, conversations, flirts probablement, agitations d'éventails, brandissage et usage du
lorgnon, alors un monocle carré, ou du face-à-l'œil de
nacre ou d'écaille, déjà mentionné, ce face-à-l'œil qui a
essayé de ressusciter ces temps derniers entre tant de
modes du passé, toutes ces choses intéressaient à l'extrême mon attention gamine et parfois malicieuse plutôt
en dedans, bien que parfois des mots d'enfant terrible
m'échappassent sur les gants un peu passés de Madame
Une-telle ou sur le trop court ou trop collant nankin
du pantalon de Monsieur Chose, tandis que ma puérile
mélomanie s'énivrait des airs de danse de Pilodo ou de
solos de clarinette ou de la mosaïque sur le dernier opéra-
comique d'Auber ou de Grisar...

Il se trouva que parmi les nombreux enfants qu'ame-
naient là les gens mariés de la société, il y avait la plus
jeune des filles de M. le Président du Tribunal de 1re instance à moins que ce ne fût celle de M. le Procureur de
la République, qui s'appelait L..., et la petite demoiselle
s'appelait Mathilde. Elle pouvait avoir huit ans, moi je
courais sur ma septième année. Elle n'était pas jolie de
la joliesse qu'on veut chez les fillettes de cet âge. Blond-
ardent très près d'être fauve, ses cheveux en courtes
papillottes faisaient à sa face très vive aux yeux d'or brun
parmi le teint moucheté de taches de rousseur comme
autant, me semblait-il, (et je le sentais ou plutôt ressentais ainsi) d'étincelles allant et venant dans cette physionomie de feu vraiment, des grosses lèvres de bonté et de

santé, et, dans la démarche, un bondissement, un incessant élan, — tout cela m'avait saisi, m'allait au cœur, dirai-
je aux sens, déjà ? Tout de suite, nous étions devenus amis.
Que pouvions-nous nous dire ? je ne sais, mais le fait
est que nous causions toujours ensemble, quand nous ne
jouions pas, ce qui nous arrivait souvent. Quand l'un de
nous n'était pas encore là (car je lui plaisais, je dois l'avouer
autant, ma foi, qu'elle me plaisait de son son côté), c'était
une attente, une impatience, et quelle joie, quelle course
l'un vers l'autre, quels bons et forts et retentissants et
renouvelés baisers sur les joues ! Parfois il y avait des
reproches à propos du retard, des miniatures de scènes,
des ombres peut-être de jalousie quand un garçon ou
une fille mêlé à nos jeux, trouvait trop d'accueil d'une
part ou d'une autre. Notre amitié si démonstrative avait
été remarquée et l'on s'y intéressait; elle amusait fort,
entre autres gens, les officiers qui formaient une bonne
part du public de ces concerts. « Paul et Virginie »,
disaient les commandants et les capitaines, restés classiques immédiats tandis que les lieutenants et sous-lieutenants, plus lettrés et d'instinct plus vif, insinuaient en
souriant : « Daphnis et Chloé! » Le colonel lui-même
de mon père, qui devait être plus tard le maréchal Niel,
se divertissait tout le premier à ces jeunes ardeurs, et
nos parents, n'y voyant que ce qui y était foncièrement,
naïveté et candeur, admettaient volontiers de tels gentils
rapports.

... Madame, de qui, depuis si longtemps, j'ignore tout,
jusqu'à votre nom actuel, si jamais ces lignes vous tombent sous les yeux, et attendu que je suis sûr que mon
nom à moi ne vous est pas plus étranger que ne me l'est
celui de votre père le magistrat, vous sourirez complaisam-
ment, n'est-ce pas ? comme faisaient les témoins de nos
pures amours d'enfance et comme il m'arrive de le
faire moi-même, à ces souvenirs tout frais, tout parfumés
encore d'innocence et de primesaut soudain éclos dans
la mémoire, tout étonnée d'un charme exquis, du poète
qui voudrait, hélas! n'avoir que de pareilles choses
douces et sincères à raconter.

IV

Quoi de plus à Metz ? Ma foi, plus grand'chose, en
fin de compte. Mon père donna sa démission et en dépit
d'une lettre très flatteuse du colonel Niel, la maintint,
et, dès elle acceptée, le départ pour Paris de la famille
fut décidé. Nous débarquâmes tous trois rue des Petites-
Écuries, dans un appartement meublé pour y attendre
l'expédition par le roulage du mobilier, assez considéra-
rable laissé à Metz. Le trajet en fiacre, depuis la gare de
l'Est, telle à peu près qu'elle est aujourd'hui; en face,
par exemple, au lieu de la longue et large perspective
actuelle, une assez sordide vue de maisons lépreuses et
d'abominables terrains vagues que continuait jusqu'à la
Seine et au-delà un dédale de rues étroites et terriblement
encombrées me parut morose vraiment. Moi qui me
figurais un Paris tout en or et en perles fines, qui m'en
étais créé une Bagdad et un Visapour tels que ces rives
mêmes n'ont jamais été, évidemment, car l'imagination
des enfants est infinie quand elle s'y met et il y entre
comme de la folie ! Et je voyais, moi sortant d'une ville
froidement belle et d'une régularité frappante dans les
parties que je pouvais en connaître, ce lacis de trop hautes
maisons, aux lourds volets gris sales sur des façades de
plâtre verni où la pluie avait dilué la poussière en taches
verdâtres sur du jaune pisseux. Les vitres de l'étroit
« sapin » malodorant de drap crasseux et de foin moisi
sonnaient brutalement et les roues sursautaient, sur ce
pavé énorme irrégulier, habitué plutôt à l'entassement
pour les barricades de plusieurs émeutes qu'au nivelle-
ment normal des Ponts et Chaussées. Déçu cruellement,
je me mis à pleurer, et comme on m'interrogeait, n'étant
plus aussi naïf, croyais-je, qu'auparavant, maintenant
qu'il m'avait été affirmé que j'étais dans l'âge de discrétion, comprenant littéralement le mot et peut-être aussi
par une pudeur (trouver Paris laid, fi, monsieur, que
c'est vilain de la part d'un grand garçon!) je répondis
que j'avais mal aux dents, — ce qui peut-être se trouvait
vrai, puisque j'avais sept ans, sept ans passés, période
où tombent les dents de lait et où en poussent d'autres !
Mais la vérité, c'est que ma première impression de Paris

fut laideur, boue et jour sale, — et l'odeur fade qui
flotte en son atmosphère, pour des narines habituées
aux fortes et simples bises de l'Est lorrain et aux salubres
courants d'air d'une ville en échiquier.

Le lendemain, je dois l'avouer, me récompensa du
mécompte si véhémentement subi dès en arrivant. L'im-
pressionnante promenade, en vérité sur les Boulevards,
de la porte Saint-Denis ou Saint-Martin, (excusez, il y a
quarante-trois ans de ça) jusqu'à la Madeleine! Peu
d'embellissements ont altéré la physionomie du si absolument varié, amusant encore plus que grandiose — de
clair fourmillement humain et de richesse et de luxe,
et de philosophie et de gaîté, faux ou vrais, vrais et faux,
mais intenses et légers ensemble et libres, — Boulevard
de Paris. En 1851, je n'y vis, si je n'en perçus pas, intui-
tivement, davantage que l'amusement, vraiment grisant
pour un gamin. Les voitures, si nombreuses, sans grand
bruit là, les passants, les trois quarts du temps bien mis
et volontiers de bonne humeur, flânant, fumant, causant
tout haut — la plupart des gens en province, se parlent
comme à l'oreille, — les boutiques : ô ce duel de gre-
nouilles empaillées chez un « naturaliste » de Bonne
Nouvelle! les enseignes : ô ce quatrain d'un perruquier
de la porte Saint-Martin, en face de l'emplacement où
quarante ans après devait d'élever le théâtre de la Renais-
sance :

> Passants, contemplez la douleur
> D'Absalon pendu par la nuque :
> Il eût évité ce malheur
> S'il eût porté perruque !

Ces « vers », écrits en dessous d'un tableau un peu
sommairement peint mais non des moins impression-
nants pour des yeux sans préjugés comme les miens
d'alors, sont, je crois, les premiers que j'aie sus par cœur.
Au fond, ils en valent bien d'autres qui ont fait et font
encore plus de bruit.

Au bout d'une huitaine de jours, le mobilier étant arrivé
nous émigrâmes aux Batignolles, quartier dès alors favori
des militaires retraités. Mon père devait y retrouver et

y faire beaucoup de camarades dans cette classe de braves et dignes gens, bons bourgeois sans l'affre et l'horreur d'Homais et de Prudhomme. Du premier ils n'ont rien et s'il leur arrivait, par un malheur à ne pas craindre, d'employer le langage du second, ce serait alors littéralement et dès lors très plausiblement qu'ils pourraient dire que leur sabre fut le plus beau jour de leur vie [25].

Batignolles. Entrée rue Nollet (alors Saint-Louis), nº 2, vue du premier par quatre fenêtres, sur la rue des Dames et la rue Lécluse. La rue Lécluse où je devais habiter plus tard, par deux fois, la rue où tu habites, mon vieux camarade Edmond Lepelletier, quand tu t'ennuies à Chatou, dans cette même maison et ce même appartement du numéro 3 qui te vit naître.

« *Naître, vivre et mourir* (le plus tard possible) dans *la même maison !* [26] » Bonheur que tous n'auront pas, bien qu'on ne puisse répondre de rien, encore qu'il me semblerait fou que je dusse mourir, après, c'est vrai, y avoir vécu, peu, mais vécu, dans la maison nº 2 de cette rue Haute-Pierre, probablement *Hoch Stein Strasse* aujourd'hui, qui fut témoin de mon entrée en ce monde. Qu'elle assistât à mon premier pas dans l'autre, voilà, je le répète, qui m'étonnerait en dépit de toute proverbiale possibilité.

J'ai dit que mon instruction en province n'avait pas été des plus rapides. Il n'est que ce Paris pour les progrès sérieux, mossieu ! Et je fus mis, comme externe, à l'institution W... dans la rue Hélène, une toute petite voie qui conduit de la rue Lemercier à l'avenue de Clichy, *olim*, ce qui veut dire, hélas ! « de mon temps », Grande-Rue des Batignolles. Le modeste pensionnat existe toujours, et dernièrement, en allant visiter le maître Eugène Carrière dans son atelier de la rue — pas dommage ! — Hégésippe-Moreau, j'ai revu, à travers les barreaux verts de la porte à claires voies, la cour aux quelques rangées d'arbres espacés suffisamment pour qu'on y pût jouer de-ci de-là aux quatre coins et au fond le perron aux deux rampes de fer d'où, à une distribution des prix, je récitai la fable du *Chêne et du Roseau*, dont je me tirai avec une aisance relative, grâce à une rapidité peut-être un peu bredouillante d'élocution qui ne me trahit qu'aux

tout derniers vers, durs à dire vite : essayez donc un peu,
vous qui avez l'air de sourire :

> *Celui de qui la tête au ciel était voisine*
> *Et dont les pieds touchaient à l'empire des morts.*

Le patron, digne homme dans les cinquante ans, était
petit, glabre, avec de longs cheveux noirs séparés sur le
côté droit par une raie, assez hâlé de teint, front haut,
nez droit et gros : une ressemblance sinon parfaite, frappante, avec les lithographies de Victor Hugo à cette
époque, le Victor Hugo-Dante au lieu du Victor Hugo-
Ribéra des dernières années. Il s'était marié sur le tard
et avait une petite fille qui mourut pendant le temps que
je suivais encore son école, et ce fut une de mes premières
fortes émotions de voir pleurer cet homme robuste, que
nous redoutions un peu tout en l'aimant beaucoup, bam-
bins de bonne famille et de saine éducation que nous
étions, et dont il avait un soin et un souci vraiment paternel. Carles des Perrières fut un de mes condisciples de
la rue Hélène. Je ne l'ai jamais revu depuis ces temps
préhistoriques. Qu'il reçoive ici mon salut doublement
confraternel.

J'avais grandi. Je savais maintenant lire et écrire. Les
quatre règles m'entraient à peu près dans la tête et j'avais
des notions d'histoire et de géographie. On commença
de penser à me mettre au lycée. Deux circonstances retar-
dèrent quelque peu mes débuts universitaires : une maladie assez grave que je fis... et le Deux Décembre !

v

Chronologiquement c'est « le Deux Décembre et la
maladie » que j'aurais dû dire pour désigner les deux
provisoires obstacles à mon entrée au lycée. La « main
de gloire » qui est celle de tout écrivain un peu digne de
ce nom m'a fait écrire à l'inverse et bien à mon insu,
étant données la nécessité de la phrase à arrondir et la
fatalité d'une chute à effet. Pitié, n'est-ce pas ? minuties

et chinoiseries. Mais l'écriture en est faite! Cependant, dans un travail comme celui-ci, qui est surtout ou ne doit être et ne paraître qu'exactitude, ponctualité, littéralité, indispensablement consciencieux me semble-t-il de revenir, fût-ce sur une « beauté », sur un « agrément de style » en faveur de l'ordre strict des faits. Et voilà qui est accompli. Je reprends le fil de mon récit.

Depuis quelque temps, tant à Metz qu'à Paris, j'entendais parler autour de moi de choses qui m'ennuyaient fort et dont j'ai su depuis que c'était de la politique. Il n'était plus guère question, quand il venait des messieurs à la maison, que d'Assemblée Nationale, de Président, de conflit, de Chevau-Légers, de Montagne, d'Élyséens et de Rouges! Parfois des noms rébarbatifs à l'envi ou si ennuyeusement longs, Cavaignac, Ledru-Rollin, de qui l'on craignait le retour, monsieur de Montalembert dont on attendait beaucoup, mais n'était-il pas trop du parti-prêtre ? Tout cela finirait par un coup d'État dans un sens ou dans un autre, Louis-Napoléon à Vincennes ou la Chambre à Mazas, ou alors, l'inconnu, les élections, la Révolution! Moi, ça m'était bien égal, tous ces beaux discours, et pourtant je me disais, à part ce petit ignorant de moi, qu'il fallait pourtant que ça eût de l'intérêt pour que des grandes personnes, et surtout « papa » qui m'était un dieu, s'animassent à ainsi pérorer et parfois crier à ce propos. Mais ça m'était bien égal, en vérité, puisque malgré toutes mes ratiocinations autour de ces problèmes et en dépit même des réponses brèves et juste à ma portée, obtenues par mes certainement très agaçantes questions sur de tels sujets :

« Papa, qu'est-ce que c'est que le Président ? — C'est le chef de l'État, petit. — Et qu'est-ce que l'État ? — C'est le pays, c'est la France. — Alors, qu'est-ce qu'un coup d'État ? etc., etc. Je n'y comprenais rien ! »

Ah! certainement oui, que, non, je n'y comprenais rien, quand, un matin d'hiver, vers dix heures, mon père, des journaux à la main, rentra d'une promenade, tout animé, lui si calme quoique nerveux, tout excité, disant : « C'est fini. Ça y est ! — Quoi donc, pour Dieu ? fit ma mère un peu inquiète du ton exalté. — Et parbleu, le coup d'État. Aujourd'hui la Chambre à Mazas. Demain le Président aux Tuileries. C'est très grave, mais ça a l'air très calme. »

Ce mot coup d'État que je ne comprenais pas, et sur lequel mon père interrogé maintes fois par moi n'avait pu s'expliquer, naturellement, à un galopin de sept ans, et que le résumé qu'il venait d'en donner n'éclaircissait pas, quoique bien topique et juste au point pour une intelligence toute au fait si j'avais seulement su ce que c'étaient que les Tuileries et que Mazas et surtout que la Chambre. (Le Président, que j'avais déjà vu à cheval, en général de la garde nationale, je me doutais vaguement que c'était une espèce de militaire à qui on faisait attention beaucoup quand il passait.) — Ce *mot* de « coup d'État », maintenant que la *chose* était faite, m'intrigua soudain par son actualité même, et je formulai, pour la quantième fois donc ? ma lancinante question, aggravée aujourd'hui d'un adverbe de temps sous forme à la fois de conjonction et d'exclamation : « *Alors*, papa, dis-moi ce que c'est qu'un « coup d'État » ? » — Il me fut très judicieusement répondu : « Tu m'ennuies. Ça ne te regarde pas, va jouer plus loin. » Le lendemain il fut bien un peu question de « résistance », d'émeutes partielles à Paris, vite réprimées, de mouvements insurrectionnels en province, dans quelques départements, le Rhône, la Nièvre, (le Rhône, pensais-je ne perdant pas l'occasion de me foncer en géographie, chef-lieu Lyon, sous-préfectures... ah voilà! la Nièvre, chef-lieu Nevers, sous-préfectures, hem, je les ai oubliées!) mais tout ça plutôt artificiel : on tient les meneurs, etc. Demain le calme sera revenu et les affaires vont enfin reprendre. Le lendemain, 4 décembre, le temps était au sec bien qu'au doux, ma mère, après déjeuner, m'emmena faire un tour de boulevards. Rien dans les rues de Batignolles jusqu'à la barrière alors située entre les rues d'Amsterdam et de Clichy (un peu en deçà de l'emplacement actuel des grands magasins de nouveautés de la place Clichy) ne parlait de révolution, ni même de la moindre émotion populaire. La circulation sur les trottoirs et sur la chaussée était la même, ni plus ni moins, que les autres jours. Des affiches collées de la veille aux murs de la caserne attiraient quelques lecteurs des moins démonstratifs,

les rues de Clichy et de la Chaussée-d'Antin ne présen-
taient aucune trace d'agitation quelconque. Chacun visiblement allait à ses affaires, revenait de son plaisir. Nul
même de ces groupes qui se forment d'ordinaire dans
le Paris fiévreux et avide de nouvelles. Sur le boulevard
des Italiens, un concours de curieux plutôt que de mani-
festants encombre à moitié le passage et jusque sur la
chaussée déborde en cohue plus facétieuse qu'autrement.
Le grand trait un peu mémorable de cette journée qui
commence consiste en, de-ci de-là, d'assez longs mo-
nômes de gens généralement bien mis allant en sens divers
et scandant sur l'air des lampions ce mot que j'entends
pour la première fois, « Ratapoil, rat-à-poil ! » et qui
m'amuse au point de le répéter de ma voix criarde de
gamin. Ma mère, qui s'amuse aussi, néanmoins me fait
taire bien vite, se doutant que « Ratapoil » est un cri
séditieux [27]. Nous remontons le boulevard Montmartre
où les mêmes scènes à peu près se renouvellent.

Comme précédemment, l'attitude de la foule n'a rien
de foncièrement hostile et même les gouailleries ayant
quelque signification nettement anti-Louis-Napoléon-
nienne sont rares. Plus loin, à l'entrée du boulevard
Poissonnière, le tumulte se hausse de plusieurs tons, on
chante *La Marseillaise*, *Les Girondins*, on siffle, des
blouses clairsemées se mêlent aux « talmas » [28] et des cas-
quettes aux hauts-de-forme. Peu de femmes, mais celles
qui se trouvaient là s'exaltaient plus que les hommes dans
les chants et dans des gestes qui m'effrayaient, presque
toutes des femmes de modeste condition et d'un certain
âge. Pas de *grisettes*, pas de rubans au bonnet, ni de volants à la jupe, ni d'escarpins de prunelle. Celles en
chapeau et en bottines d'étoffe plus fine étaient plus
échauffées. Ces spectacles m'inquiétaient, et je me serrai
contre ma mère qui, jugeant la position imprudente,
me prit fortement par la main et rétrograda sur le boulevards des Italiens, où nous retrouvâmes les bandes
goguenardes et rigoleuses. Tout à coup, il y eut un
grand cri de « Sauve qui peut ! » et un reflux de foule se
sauvant vers la Madeleine. Nous faillîmes être emportés,
puis renversés dans cette panique sans motif visible.
Une boutique grande ouverte, tout à côté de chez Robert

Houdin, fut envahie en une seconde par un flot de gens
dont nous nous trouvâmes, et la devanture aussitôt
sous volets. Dans la demi-obscurité où nous étions
nous pûmes percevoir pendant quelques minutes qui
nous semblèrent des heures, de grandes clameurs indis-
tinctes, des galopades de pas sans nombre, puis le silence
se fit, un silence absolu au bout d'une dizaine de minutes
duquel quelqu'un se risqua à ouvrir la porte. Seuls
quelques sergents de ville se promenaient de long en
large sur le trottoir désert, puis quelques passants
s'étant montrés, nous crûmes pouvoir en faire autant.
Maman et moi enfilâmes bien vite la rue Drouot et la
rue du Faubourg-Montmartre, où les gens remontaient
en une hâte néanmoins sans désordre du côté des rues
Notre-Dame-de-Lorette et Fontaine-Saint-Georges, puis
nous obliquâmes par la rue Saint-Lazare, et, arrivés à la
rue Blanche, fûmes témoins de l'arrestation par quelques
hommes en blouse sortis de chez un marchand de vins,
d'une voiture du train conduite par deux cavaliers qui,
vu la résistance impossible et inutile, mirent pied à terre
aussitôt. N'en voulant pas connaître davantage, nous
fûmes bientôt de retour rue Saint-Louis, sans avoir
rencontré rien d'anormal. Les deux tringlots dont il vient
d'être question furent les *seuls* soldats que j'aie vus à
cette date trop militaire, d'après plusieurs témoins, du
Quatre-Décembre mil-huit-cent-cinquante-et-un.

VI

   Jusque-là, et depuis lors, je n'avais et je n'ai jamais
été ce qu'on peut appeler malade; car je ne compte pas
le rhumatisme et ses suites, qui m'embêtent vraiment,
m'empêchent dans mes affaires et m'ont valu la dèche
et tout le bataclan, et depuis près de dix ans font de moi
une espèce d'infirme bien portant, souvent rageur et
parfois abattu... Mais on dit qu'avant la grande échéance,
un chacun doit payer son tribut, sa dette pour parler
plus modernement. Un soir donc, je me sentis pris de
fièvre : rien de délicieux comme un commencement
de fièvre; c'est volatile, les idées (de pensée, on n'en a

plus et quel bon débarras!) tourbillonnent en s'entrela-
çant et se désenlaçant sans cesse et toujours. On ne
sait plus *où* on *en* est, sinon qu'on s'*y en* trouve bien et
mieux. C'est un peu comme certain moment de l'ivresse
où l'on croit se rappeler qu'on a vécu le moment où
l'on est, et le vivre ce moment-là. Seulement, ici, la
sensation est si vague qu'elle n'en est plus sensation,
mais caresse indéfinie, jouissance de néant meilleure
que toute plénitude. Je remplirais un chapitre et un
volume à vouloir analyser cette sorte d'état que je n'ai
jamais éprouvé autant qu'à ce moment de ma vie. Comme
j'avais fait part à mes parents du changement survenu
dans le train normal de ma santé, qu'une perte soudaine
d'appétit et une volubilité inaccoutumée de mes discours
qui commençaient à devenir incohérents les renseignaient
d'autre part, ainsi que l'ardeur suspecte de mon teint,
et qu'ils se montraient inquiets, je me crus en péril de
mort et je me disais, Louis XIV au petit pied, « que ce
n'était pas si pénible que ça de mourir » : puis ma tête
par degrés s'alourdit, les veines me brûlèrent et je m'endormis d'un sommeil aux mille rêves qui continuaient
dans mille réveils en sursaut. Bref la maladie, une fièvre
muqueuse, se déclara très forte et dangereuse. J'eus un
délire violent et multiforme, tantôt riant, tantôt sanglo-
tant, hébété tour à tour et raisonneur. Un épisode m'en
fut raconté qui est assez bizarre : la table de multipli-
cation et la liste des départements avec leurs chefs-
lieux et sous-préfectures, ces deux bêtes noires des petits
écoliers, chimères accroupies sur ma poitrine haletante,
revenaient souvent dans mes divagations où j'en faisais,
avec le système métrique, autre Croquemitaine, un
amalgame qui eût été amusant dans toute autre circonstance. C'est ainsi qu'entre deux assoupissements entrecoupés de paroles inintelligibles il m'arrivait de « dire »
par exemple : « Cinq fois huit Saint-Brieuc, Lannion,
Loudéac; Vendée, La Roche-sur-Yon, déci, centi,
milli; décamètre, dix mètres fois Poitiers, Châtellerault,
Civray, Loudun, Montmorillon... »

Des soins infinis me sauvèrent, la convalescence se fit
lentement, d'abord douloureuse, puis pénible, impérieuse,
impatiente, puis paisible et câline en réponse aux gâte-

ries prudentes dont me bénissait ma mère pour qui je
conçus de l'avoir vue, ou plutôt perçue, si bonne,
tout dévouement, tout veilles, tout réveils incessants,
pendant le fort de la crise, une affection toute nouvelle.
Au naïf, presque sinon tout à fait instinctif attachement
dont l'avaient jusqu'ici entourée, assiégée ma faiblesse
et mon ignorance, succéda dès lors l'amour filial, instinctif aussi et qui est, comme disent si bien les bonnes
gens, dans le sang, mais de plus à présent, pour ainsi dire,
raisonné tout en restant, pour la vie, déraisonnable,
reconnaissant et plus et mieux que cela, conscient d'être
à son tour capable de dévouement et susceptible de sacrifice. Et ce sentiment tout-puissant et doux et bon par
excellence se manifesta tout d'abord par une soumission
souriante, au fond attendrie jusqu'à en avoir une envie
délicieuse de pleurer. Il n'y eut pas de tisane assez amère,
de drogue trop dure pour me tirer, quand offerte par
Maman, autre chose qu'un sourire j'oserai dire de béatitude, et, lorsque arriva la guérison, d'étreintes assez
étroites, de baisers assez forts puis assez tendres et
mouillés de quelles larmes brûlantes [29], sur ses joues et sur
ses mains, et rafraîchissantes (ô combien !) à mon pauvre
cœur d'enfant encore si pur, si pur alors, et, au fond,
depuis (toutes les fois que je pense à ma mère) à mon
pauvre cœur d'homme malheureux par ma faute et faute
de l'avoir eue toujours sous les yeux, même morte,
surtout morte qu'elle est maintenant, mais non, elle vit
dans mon âme et je lui jure ici que son fils vit avec elle,
pleure dans son sein, souffre pour elle et n'est jamais un
instant, fût-ce dans ses pires erreurs (plutôt faiblesses !),
sans se sentir sous sa protection, reproches et encoura-
gements, toujours !

« Maintenant que le petit est guéri, que toute crainte
de désordres et de pillages a disparu — dit un jour mon
père qui, comme tout le monde, en ces temps, avait eu
peur d'un bouleversement et d'une conflagration immédiate dont les nôtres ne semblent pas exempts non plus
d'être menacés dans tels très brefs délais, — si nous le
mettions au lycée. Qu'en dis-tu, lapin ? »

« Le lapin », c'était moi que mon père se plaisait à
appeler ainsi, naturellement, fier à la pensée d'avoir un

képi, une tunique et de faire des « études », répondit : « Oh! oui, alors! »

Ma mère préférait une pension qui me conduisît au lycée. Une pension, c'est plus familial et j'y aurais un peu de paternité (elle pensait : de maternité) avec les avantages scolastiques (elle pensait : et officiels, profitables, pratiques, pour plus tard) du lycée.

On se décida pour une bonne pension qui me conduisit au lycée.

Souvent dans mes promenades en famille, en passant par la rue Chaptal, venu des Batignolles, j'avais remarqué presque à l'entrée, à gauche, une grille donnant sur une cour pavée avec un corps de bâtiment et, en suite de la grille, troué d'une petite porte d'entrée, un long mur avec de grands panneaux de bois noir suspendus, tenus par des clous dorés où il y avait en lettres d'or des mentions de toutes sortes de choses enseignées : « Préparations aux Écoles spéciales, Baccalauréat, Licence, Enseignement secondaire et primaire, Cours du Lycée Bonaparte et du Collège Chaptal, etc., etc. » Au-dessus de la grille il y avait un écriteau en long, de bois noir également, avec, aussi en lettres d'or, plus grandes « Institution L... [30] » Cette pompeuse façade m'avait séduit et j'exprimai à mes parents le désir d'y entrer, désir qui, après renseignements pris et obtenus bons fut exaucé.

Ce fut presque joyeux, moyennant promesses de venir me voir très souvent, que j'y fus conduit par une après-midi. Le maître de l'établissement, officier d'Académie, chevalier de la Légion d'honneur et, ce qui à cette époque marquait bien, capitaine dans la garde nationale fort épurée et triée sur le volet d'après le Deux-Décembre, un grand homme assez corpulent, complètement rasé comme il était encore d'usage à cette époque dans la bonne bourgeoisie, de prime abord, m'imprima une certaine révérence. Il parlait un peu sec mais d'un ton franc et ce fut sans boniments, comme on ne disait pas encore, sans insistance qu'il fit l'éloge de son établissement, « très connu » de père en fils et qui s'enorgueillissait d'avoir produit des hommes remarquables et marquants, par exemple, M. Sainte-Beuve. Il nous fit

ensuite visiter les dortoirs qui ne me parurent pas trop
maussades avec leur carreau rouge bien ciré, leurs hauts
murs peints en vert clair et les rangées de lits bien blancs
flanqués chacun d'une petite commode et d'une chaise, le
réfectoire qu'une odeur point trop désagréable de soupe
et de légumes emplissait. Aux murs il y avait des cartouches bleus ceints de lauriers peints où se détachaient
en blanc des noms de lauréats aux Concours généraux :
celui de Sainte-Beuve était le dernier. Quelques places
vides restaient : « Votre fils y sera un jour » dit sérieusement, me parut-il du moins, M. L...

Hélas! sa prophétie ne devait pas se réaliser.

VII

J'aborde ici un temps bien intéressant — selon moi —
mais bien scabreux, comme difficulté d'écriture et lutte
contre des minuties à exprimer, des nuances presque
infinitésimales qui ont, à mes yeux, leur importance très
sérieuse encore qu'elles soient puériles dès le début, mais
pour devenir adolescentes... et c'est le diable, alors, à
confesser, sa propre adolescence, quand elle fut la
mienne! Cette très sincère et le moins atténuée possible
exposition de mes débuts... en bien des choses n'ira pas
sans d'assez grands tirages en mon for intérieur et sans
de dures concessions aux usages adoptés en matière
de style autobiographique, — mais titre oblige, et puisque
l'on m'a un peu imposé celui qui crie « gare! » en tête
de ces « notes », j'essaierai, après Rousseau (j'invoquerai
même saint Augustin, qui daignera peut-être à certains
moments diriger ma plume hélas! si profane et si indigne!)
de dire la vérité vraie sur moi, un moutard de neuf à
seize.

Toutefois, n'allez pas croire à des horreurs par trop,
mais à un scrupule non exagéré, voilà tout, et ce serait
déjà trop.

Le jour de mon entrée « à la pension », comme d'instinct, ou, plutôt, d'instinct tout court, j'eus horreur, pas
peur, horreur, non de la salle d'étude aux pupitres noirs

à l'odeur pédestre et encore autrement, à la chaire cent
fois repeinte en jaune brun, cent fois s'écaillant, d'où
nous dominait mal et maladroitement le pion détesté et
en revanche haineux et injuste (pauvre garçon, poète
ou étudiant par trop pauvre, ou, alors, pion de métier,
il y en a, et de consciencieux, et de féroces, — et d'autres!)
détestables en tous cas; non du décor, triste malgré,
pour un enfant, la nouveauté (Louis XVII au Temple);
mais peur, mais horreur des camarades déjà disciplinés,
indisciplinés, devrais-je dire, profitant de la moindre
occasion pour faire du boucan entre deux silences trop
serviles pour être bien vraisemblables, ou dans des bras
sur l'épaule ou sous la table témoignant deux à deux d'un
zèle extrême à l'étude commune d'un texte à réciter
tout à l'heure ou à remettre demain, au Lycée Bonaparte ou au Collège Chaptal, dont l'Établissement
était comme qui dirait un des suffragants.

Par-dessus le marché, comme j'étais entré à l'Institution vers quatre heures de l'après-midi et que la classe
de la division des petits, dite élémentaire, étant en train,
il importait de ne pas la déranger, on m'avait placé dans
l'étude des moyens de 12 à 14, 15 ans, revenus de Bonaparte (les *Chaptaux* avaient leur étude à part); et c'était
la coutume pour les élèves de cette catégorie qui étaient
punis, de subir, en forme de pensum, une espèce de
dictée latine ou française *épelée* mot par mot, d'après le
livre, par l'un des patients, à haute et intelligible voix,
sur le rythme un peu de ces sortes d'exercices dans les
écoles primaires : « B, A, ba, Baba, B, É, bé, Bébé ».
Ce jour-là, le texte était emprunté à *Télémaque* et au
chapitre de cet ouvrage où se trouve le récit de la des-
cente aux Enfers du Fils d'Ulysse, et le garçon chargé
de la dictée, l'un des plus âgés de l'étude, doué de cette
grosse voix virile dont sont si fiers les gamins en voie
de puberté, forçait encore cette voix et, dans l'intention
non équivoque de faire enrager le maître d'études,
scandait furieusement son épellation. C'était en hiver.
Quatre lampes à suspension pourvues d'abət-jour métal-
liques jetaient sur les quatre tables noires de la salle une
lumière dure qui rendait l'ombre des murs d'autant plus
sombre et pour mes yeux inaccoutumés à des aspects

aussi sévères, comme effrayante. La voix terrible allait toujours évoquant le Phlégéton, géton. Radamante, damante, etc. — et c'était très impressionnant, je vous assure. Même c'était trop fort pour le premier jour et ma mauvaise impression fut si intense que j'eus grand-peine à refréner une envie de pleurer.

Une cloche sonna qui annonçait l'heure d'aller dîner. On se mit en rang deux par deux, moi accolé à un élève de ma taille et qui, durant l'assez long trajet de la salle d'étude au réfectoire, ne me dit pas un mot et, en place, se retourna plusieurs fois vers l'un des deux camarades qui nous suivaient, lui murmurant entre haut et bas des choses évidemment sur mon compte que je ne pus bien discerner, à cause du bruit des pieds traînant ou sautillant sur le chemin pavé que suivait la longue bande écolière, mais que je devais, à bon droit, sans nul doute, soupçonner véhémentement d'être plus ou moins malicieuses, sinon tout à fait malveillantes.

Le réfectoire, dont j'ai déjà parlé, contenait trois longues tables, celle des grands au milieu, des moyens et des petits, dont j'étais, à droite et à gauche, plus celle des maîtres d'études, plus petite, dans un coin, à gauche en entrant, face à la porte de la cuisine, toutes quatre en marbre noir, sans nappe. Avant que l'on pût s'asseoir, un surveillant en chef que l'on appelait, ainsi que ça se fait encore, je pense, maintenant, dans les établissements de ce genre, « Monsieur l'Inspecteur », dit le *Benedicite* traduit en un français qui enlevait toute la beauté du latin; ainsi dans les sous-entendus de sa concision, ce prologue si plein de choses « *Benedicite Dominus* » était remplacé par un simple signe de croix : « Au nom du Père, etc. » que suivait platement ceci : « Bénissez-nous, Seigneur, ainsi que la nourriture que nous allons prendre », au lieu du cordial et comme tangible « *Nos et ea quae sumus sumpturi benedicat* DEXTRA CHRISTI ».

C'est vrai que cette prière était à l'usage d'écoliers (dont plusieurs cependant étaient des rhétoriciens et des « philosophes ») mais... lisez plutôt Chateaubriand au sujet du besoin qu'a l'humanité vis-à-vis des Puissances célestes d'un langage mystérieux où soient impliqués, dans l'hommage et dans la supplication qui n'en est d'ailleurs qu'un accessoire, les besoins inconnus d'elle-même, la pauvre humanité!

C'est à ce point vrai que même les Protestants anglais emploient dans leurs offices religieux, si beaux qu'ils en sont presque catholiques (moins la cordialité, bien entendue, l'intime et la révérence toute filiale), le vieux langage du temps d'Élisabeth et d'avant elle, presque ou plutôt tout à fait incompréhensible aux bonnes gens qui n'en psalmodient pas moins à l'église efficacement pour leur salut, n'en récitent pas moins le matin et le soir à leur chevet le Pater et le Credo dans les termes littéralement qu'employaient les premiers Puritains!

La soupe fut servie, combien médiocre au prix des consommés parentals [31]! du bouilli s'ensuivit, sec autant qu'était délicieusement entrelardé le bœuf d'à la maison avec son cortège de ces légumes divins dits du pot-au-feu; vinrent des haricots... rouges... de ne ressembler en rien aux farineux tendres et blancs, sous des condiments « puissants et doux » de la bonne table de papa et maman. En fait de dessert une pomme, comment déjà? calvi, reinette, non certes, mais si peu mûre et tant meurtrie!... (ô les desserts de la rue alors Saint-Louis des Batignolles!) Et l'abondance dans la pourtant si belle timbale d'argent avec un beau V gravé et un beau 5 qui était mon numéro, l'abondance, mot charmant, seul mot vraiment digne d'être proféré, odieusement détourné de son sens pour s'appliquer à une sorte d'eau de rinçure de bouteille que c'eût été encore un abus d'appeler de l'eau rougie! cette boisson pire que de l'eau tiède, je la comparai avec le doigt de bon vin pur qui m'était octroyé chez nous au dessert du déjeuner et, après la soupe, à dîner. C'en était trop! ces impressions gastronomiques jointes à celles de l'étude sinistre et de la lugubre dictée me dictaient, sinon mon devoir, du moins l'acte à faire.

Et profitant, au retour du réfectoire, de la porte ouverte pour le départ des externes et de la confusion produite par ce départ croisant la théorie des pensionnaires revenant du réfectoire, — je m'enfuis.

VIII

Ce saut dans l'inconnu de la rue et du soir, d'un pauvre petit garçon épouvanté de se trouver sans ses parents, s'accomplit si vite, comme toutes les grandes déterminations, et si heureusement, sans accrocs ni rien, que j'en restai une seconde comme étourdi, — une seconde après quoi je m'orientai du premier coup... Je ne fus pas un quart d'heure à faire le trajet de la pension à la maison. La grande affaire, par exemple, était de me trouver en face de mes parents : tous mes petits principes de déjà s'agitaient dans ma jeune conscience, rassurée au fond, sous la forme plutôt de scrupules. Je raisonnais à peu près ainsi : « Voyons, tout de même, enfin! Papa et Maman m'ont mis en pension pour mon bien. Ils savaient ce qu'ils faisaient en agissant ainsi. J'aurais dû rester et attendre un peu. On serait venu me voir, pour sûr, demain... Décidément c'est mal. Ça va leur faire de la peine... Et puis, qu'est-ce que dira le maître de pension ? » Cette dernière considération, si naïve et bien d'un enfant craintif et gâté comme je l'étais, m'obsédait surtout, car j'étais, au fond, bien sûr du prompt pardon de mes parents qui, je le sentais sans m'en rendre compte, verraient plutôt là encore une preuve d'amour filial que d'instinct vers la maison douce et commode et dans ma démarche, le bon petit chien fidèle et non le chat habitueux purement et simplement. En vérité, il y avait bien un peu de l'un et de l'autre.

Je courais, donc, sans hésiter un instant sur la direction la plus courte. Très souvent mené en promenade par mon père dans ces parages précisément des quartiers Vintimille et Notre-Dame-de-Lorette, je n'avais pas à me tromper; et c'est, par le demi-brouillard et sous la lueur humide des becs de gaz encore primitifs — ou tout comme — de cette époque reculée formidablement vite, que j'allais de toute l'agilité de mes petites jambes qu'un torrent, qu'un incendie n'eût pas arrêtées, me garant des passants inattentifs et d'ailleurs peu nombreux, insoucieux moi-même de mon allure assez bizarre, avec ma tête nue (ma casquette à larges bords, de courte visière, et son long gland de soie floche pendant à gauche, était

restée à l'étude) et mes cheveux ébouriffés du vent
furieux de ma course...

J'arrivai enfin, traversant en quelque sorte d'un bond
le large vestibule du premier escalier d'où le concierge,
un Espagnol avec le fils de qui j'avais naguère fait des
petites chapelles à la fête-Dieu et allumé des feux d'artifices en miniature dans la grande cour que ce soir-là
je traversai à perdre haleine, d'où le concierge, dis-je,
m'aperçut et me cria : « Bonsoir, monsieur Paul, mais
pourquoi courez-vous ainsi, nu-tête ? »

J'avais, en vérité, bien autre chose à dire et à faire
qu'à lui répondre, et ce fut d'un trait que je grimpais
notre premier étage et d'un geste réitéré que je tirai le
cordon de la sonnette avec quel cœur qui battait, qui
battait! La bonne m'ouvrit, fit un ah! et allait prévenir
quand, la bousculant en arrière, je tombai plutôt que je
n'arrivai dans la grande sombre salle à manger où l'on
dinait... Je tombai... dans les bras de ma mère et puis de
mon père — et de ma cousine Élisa — et de mon cousin
Victor, son frère, tout petit, tout trapu, avec la moustache en croc et le fer à cheval du chasseur de Vincennes
qu'il était. Instinctivement ou cordialement, ou les deux
tout ensemble, chat ou chien, j'avais vaincu.

Dans les yeux, au fond peu surpris, dans les bras
tendus presque d'avance et si vite autour de mon
cou, dans les baisers doux et longs de ma mère et
de ma cousine, vifs et barbus de mon père et de mon
cousin, je perçus bien vite toute indulgence sinon quelque
approbation de par derrière la tête... Et je me mis à
pleurer délicieusement en expliquant mes raisons qui
furent admises tout de suite et, plus tard, quand, à la
question « as-tu faim ? », j'eus répondu de la bouche et
des dents, savourant le bon potage au tapioca, le tendre
poulet, et... je ne me rappelle plus quoi en fait de légumes
et de desserts, et bu, avec délices, le doigt de bon vin
pur (pas de café le soir, ça empêche de dormir), paternellement, maternellement, et mieux qu'amicalement
combattues et réfutées. Convaincu que j'avais eu tort tout
de même, je promis de me laisser reconduire à la pension
le lendemain, après-midi — et j'allai me coucher, pour
la dernière fois... jusqu'aux vacances de Pâques,

dans mon petit lit où je dormis à poings fermés.

Le lendemain vint, toutefois, et je tins à honneur de *bien*, de gentiment remplir ma promesse. Ce fut mon cousin qui se chargea de me reconduire et d'expliquer au patron les choses et d'excuser ma fugue de la veille.

Pendant le trajet, il m'exhorta à être homme, à me considérer un peu comme au régiment! Que diable! j'étais d'une famille de militaires, et de même que lui (vieux sergent, grognard d'Algérie, qui devait plus tard, rengagé par deux fois, faire les campagnes d'Italie et du Mexique) s'était habitué à la vie du régiment, je devais m'accoutumer à celle de collégien. Je me ferais des camarades, si je témoignais d'un bon caractère, d'un bon, pas d'un trop bon. Ne pas trop, par exemple, laisser les loustics se moquer de moi, me battre au besoin, une bonne fois ou deux, après quoi tout irait comme sur des roulettes, etc., etc.

Il parla si bien que ce fut presque joyeusement que je rentrait dans ce « bahut », mot que je devais connaître le jour même, d'où je m'étais sauvé si navré la veille. D'ailleurs pas médiocrement fier de mon compagnon chevronné, à la face hâlée, au « bouc » épais un peu grisonnant déjà, dans son uniforme sombre si populaire alors, et encore!

Il fut, comme bien on devine, facilement passé condamnation sur mon escapade, et c'est allégrement, le cœur léger, et plein de bonnes résolutions que je fus présenté par M. L... au professeur de la classe élémentaire où je devais passer un an avant de faire partie des élèves que la pension conduisait au lycée, alors Bonaparte, Condorcet depuis, après avoir passé par Fontanes entre temps.

Dans ce milieu qui était bien le mien, composé d'enfants de mon âge, de familles bourgeoises, gentils et timides pour la plupart, je m'apprivoisai vite et me plus si bien par la suite, que véritablement comparable aux peuples heureux qui n'ont pas d'histoire, c'est, peut-être, ce passage d'une année dans cette petite classe paisible aux récréations prises dans une cour spéciale où la surveillance était plus facile et, par le fait incessante, c'est peut-être, oui, la période de toute ma vie dont je me souviens le moins. J'ai beau fouiller dans ma mémoire, je ne vois, dans ce lointain, rien, absolument rien, non seulement de saillant, mais d'existant : éclipse totale de souvenirs, du moins quelque peu dignes d'être rapportés dans cette plutôt minutieuse revue d'une vie beaucoup en nuances...

Et je veux reprendre ce récit à l'époque, qui simultana, de ma première communion à mon entrée au lycée.

On nous conduisait à la messe dans une église en bois assise dans le milieu de la rue de Clichy, et qui était provisoire en attendant l'érection, en face de la Chaussée d'Antin, de l' « élégante » Trinité qu'on sait. Quant au catéchisme, c'était rue de Douai, — près du square Vintimille alors fermé au public et orné d'une statue en marbre blanc de Napoléon Ier à laquelle il arriva une nuit une malodorante aventure, — qu'on nous menait l'entendre dans une chapelle disparue depuis, ou, du moins, je le crois.

IX

Laides, église et chapelle : l'une avec ses colonnes romano-gothiques peintes à la détrempe, en rose et vert clair, son autel gothico-roman chromolithographiquement décoré de même, ses autels des bas-côtés tout petits et par trop pauvrement prétentieux sous un vitrail d'Épinal à la douzaine et, au long des murs verdâtres et rougeoyants, de moisissures et... de couleurs de chez le mauvais marchand, un chemin-de-croix signé... rue Bonaparte; — l'autre et son chemin-de-croix signé... rue Saint-Sulpice, ses bancs, son autel, sa chaire-bureau, de ce jaune-pisseux... et pire ou mieux au choix, son plafond presque d'appartement, le tout avec des prétentions confortables dans le délabré, par-ci par-là un prie-Dieu de velours grenat pour les mamans et des chaises de paille multicolore, à la belge, pour les papas et les messieurs du clergé, désireux d'assister, mamans, papas et les messieurs du clergé, à l'enseignement spirituel « prodigué » à leurs chère progéniture et tendres ouailles, — et celles-ci! pour quelques gamins comme moi, alors, je le dis sans plus de modestie que de droit —

presque encore innocents ou... à demi, encore, ignorants du « péché honteux [32] », du « vice impur », un flot
de galopins déjà vicieux, à moitié flétris dans la fleur de
leurs douze ans, ironiques, incrédules, qui chantaient
« *Ah, si tu crois que j't'aime* » sur l'air de « *Esprit Saint,
descendez en nous !* »

Laides, église et chapelle. Affreux et odieux, pour la
plupart, les « gosses » du catéchisme dont j'étais, moi,
encore aimable et naïf.

De l'enseignement en lui-même, qu'en dire ? C'était
à peu près comme la messe basse que nous entendions
le dimanche de grand matin, dans l'étroite église provisoire de la rue de Clichy, blottis dans un recoin qui
était le baptistère, — correcte, sèche, — et pas longue,
la messe.

Pas assez du moins pour moi vraiment, j'y insiste,
qui, élevé sans fanatisme par des parents point dévots,
mais d'une religion plus que ce qu'on appelle *raisonnable*
dans les milieux bourgeois, avais l'intuition des beautés ou
plutôt des bontés vraies de la doctrine chrétienne ou
plutôt catholique en attendant qu'après un long temps
d'erreurs de toute sorte et de fautes violentes, je dusse
en un jour de malheur et de bonheur, exhaler mon âme
convertie en des vers qu'on a bien voulu trouver remarquables...

Et ma première communion fut « bonne ». Je res-
sentis alors, pour la première fois, cette chose presque
physique que tous les pratiquants de l'Eucharistie
éprouvent, de la Présence absolument réelle, dans une
sincère approche du Sacrement. On est investi. Dieu
est là, dans notre chair et dans notre sang. Les sceptiques disent que c'est la Foi seule qui produit cela en
l'imaginant. Non. Et l'indifférence des impies, la froi-
deur des incrédules, quand par dérision ils absorbent
les Saintes Espèces, est l'effet même de leur péché, la
punition temporelle du sacrilège...

Ma confession générale avait été scrupuleuse : je me
souviens de m'être accusé de vol parce que ayant par
mégarde emporté de chez une épicière de la rue des
Dames, deux images d'un sou au lieu d'une! C'était
bien, n'est-ce pas, cela ?

Or, dans l'après-midi du jour le plus beau de la vie, selon Napoléon Ier, après avoir été confirmé de la main de l'infortuné archevêque Sibour, qui devait périr assassiné quelque temps après de la main d'un prêtre interdit, comme j'étais invité par la mère d'un camarade du catéchisme à prendre le thé chez eux et qu'il se trouvait que feu son mari avait servi dans l'artillerie, elle me dit : « Mais, puisque Monsieur votre père est un capitaine du génie en retraite, il a dû connaître mon pauvre mari à l'École polytechnique... » Et moi qui savais que mon père, d'ailleurs lui-même fils d'un notaire et qui, petit clerc de ce dernier, s'était à seize ans engagé pour la campagne de France et avait passé très vite du rang au grade d'officier dans un corps où il fallait les mêmes études qu'à l'École, je répondis : « O certainement oui. » Ce gros et laid et bête mensonge me pesa quelque temps ; après quoi, pour en finir avec mes opinions religieuses d'alors (ô misère ! un enfant de douze, puis de treize ans !), l'année d'ensuite, lors du renouvellement de ma première communion, avec d'autres polissons de treize ans, je le répète à dessein ! je refusai de me confesser.

Vous voyez bien que nous *valions* à cette époque les jeunes libres-penseurs, potaches ou macrotins, de ces jours-ci !

Quittons, pour y revenir peut-être plus tard, ces choses... réparables, — puisqu'elles furent réparées bien des années après, et mémorablement, alors et depuis.

Le jour de mon entrée au lycée suivit de près celui de ma première communion. Moins solennel, il fut important lui aussi. Pensez donc ! il s'agissait d'être lycéen, de faire « des études », d'être parmi les moyens à la pension, — et la pension avait un uniforme tout comme les lycées d'internes, et le patron préférait que ses élèves eussent un uniforme pour aller au lycée (le lycée n'avait pas, lui, d'uniforme).

On y allait deux fois par jour, excepté les dimanches et les jeudis. Je *nous* vois encore, en longue file, descendant la rue Blanche, arpentant la rue Saint-Lazare et circulant parmi l'encombrement écolier du petit bout

Nord de la rue Caumartin qui nous faisait aboutir en face de la lourde porte « monumentale » entre les fontaines non moins monumentales « ornées » de têtes de lions, dignes d'être ceux de l'Institut, qui étaient, comme leurs doctes confrères, censés cracher de l'eau ou en vomir, comme vous voudrez, mais qui restaient le plus souvent à sec.

J'étais désigné pour la septième... J'entrai chez le père Robert, un homme âgé, vif comme la poudre et qui punissait ferme. En ce temps-là les professeurs portaient la robe et la toque, et les prières d'avant et d'après la classe, celle-ci, de prière, au son du tambour que battait dans la cour un garçon qu'on appelait de mon temps, du moins, (pourquoi ?) Suche-Mèche — étaient en latin, *Veni, sancte Spiritus... Sub tuum...*

Je commençai, comme je devais finir, avec du zèle et du succès dans l'intervalle, par être un cancre, mot affreux, sens large et plus clément que rébarbatif au fond, et les punitions ne me furent pas épargnées par l'excellent professeur. Le latin m'amusait encore un peu, la mathématique (ô cette règle de trois, je la coprends moins que jamais, tout en la raisonnant un tantinet mieux qu'alors !); mais l'histoire (des dates !) la géographie (des noms !) m'embêtaient ferme.

Le premier de la classe, grosse tête ébouriffée et maligne, était toujours M. Marius Sépet. Moi je flottais entre vingt-cinq et trente sur trente-cinq.

                                    X

Il paraît que le mobilier des lycées s'est amélioré. De mon temps, celui de Bonaparte se trouvait furieusement primitif. J'admets que c'était un lycée d'externes ; mais on ne peut pourtant pas voir une raison pour offrir à des fils de gens qui paient cher, de pareils amphithéâtres de purs bancs sans tables devant, ni rien de rien en fait d'autre confortable. Et j'abomine, ici, en plein grand public, les divers régimes, républiques ou monarchies, et *vice versa*, qui se sont contentés de ces sièges pour leurs futurs hommes instruits sérieusement.

Voyez-vous cela d'ici ? le cul sur une planche de corps de garde, de violon, à plus justement parler; la poitrine et les épaules courbées vers les genoux où quelque « buvard » était chargé de recueillir dans ces conditions un texte grec ou latin. La chaire même du professeur était un chef-d'œuvre de monstrueuse incommodité...

Ceci dit, parlons un peu, très vite, avant d'en revenir à moi, sujet principal de ces lignes sincères, des braves gens qui m'inculquèrent le peu que j'ai de notions quelconquement classiques. Tous étaient ce que je puis maintenant dire en tout calme acquis cher, avec un tout petit nom tout de même, de braves gens, plus convaincus que nos normaliens d'aujourd'hui, gent un peu factice! instruits, certes, autant, — et moins familiers, ce qui valait mieux, envers les jeunes esprits confiés à leurs soins, que les échappés modernes de la rue d'Ulm. Mais, ça ne fait rien, quel types, même à distance, et à quelle distance [33], que les trois quarts de ces excellentes gens!

Je veux abréger la liste et ne contrister personne des rares survivants qui peuvent en faire partie. Mais, nonobstant, mais, néanmoins, mais, en dépit de tout, et quelques considérations qui puissent m'arrêter, laissez-moi, voulez-vous, sourire, un peu, à l'idée, au fond affectueusement évoquée, de ces maîtres de notre jeunesse, produits bizarres d'un tas de révolutions politiques n'aboutissant chaque fois, pour le dire sérieusement, en tout patriotisme, qu'à de l'amoindrissement général, malheureusement!

En sixième, M. M..., où j'étais (je dis où, comme d'un lieu!) camarade de banc avec un Hayem, ce brave M. M... qui passait, entre deux dictées et quatre ou huit ou dix corrections de copies, sa langue sur de la colle à bouche en vue de futurs *devoirs* à « donner »; en cinquième, M. P..., fortes galoches, vaguement découragé (n'était-il pas un peu « républicain » en ces temps d'empire... impérial ?) fortes, dis-je, galoches, le collier de barbe à la Jules Favre et tout indifférence à sa classe : en quatrième, M. V..., qui avait le tic de se passer un doigt sous le nez à chaque pensum qu'il infligeait; en troisième, un M. Réaume qui a, je crois, écrit quelque chose chez Lemerre, qui ne m'aimait guère et avait

probablement raison, et qui, un jour que, du fond de la
salle de classe qui sentait abominablement la peinture,
nous observions — on était en juillet, toutes portes et
fenêtres ouvertes — les efforts d'une hirondelle, chue à
terre, pour s'envoler, nous dit, spontanément, sans le
vouloir ou non :

> *L'ennui naquit un jour de l'uni...versité* [34].

En seconde, M. Perrens, historien de Hiéronimo Savo-
narola et autres pères Hyacinthe, qui me détesta, m'a-
t-on dit, et me déteste encore, m'a-t-on dit récemment
(pourquoi, mon Dieu ?). En rhétorique, M. Durand,
son râtelier et sa perruque, et fier de ces parures,

> *... Empto dente ferox et crine venali.*

M. Deltour, aujourd'hui, je crois, inspecteur d'Académie, auteur des *Ennemis de Racine*, un esprit exquis,
qui fut indulgent à ma paresse, mais sévère à mes traductions en vers de Properce, entre autres un... sonnet!
où la fin — *in cauda...* — fin que voici :

> *L'humble table de chêne et le lit en noyer.*

En rhétorique, toujours, et en seconde, je crois, auparavant, M. Desjardins, professeur d'histoire, très intéressant et très éloquent, parlant des Mérovingiens, et
M. Camille Rousset, qui nous lisait parfois des fragments
de son *Histoire de Louvois*, de sa grosse voix de petit
homme vif, vif!

Pour en finir avec cette partie de mes *Confessions* qui
concerne la bêtise et l'ennui de l'instruction... bizarre
qu'on... donnait, de mon temps, aux petits des bourgeois,
en attendant peut-être pis, passons à mon passage du
baccalauréat.

Voici, dans toute sa gloire, cette chose :

La Vieille Sorbonne, noire comme l'encre du discours latin, vermoulue comme le style de la dissertation
française... et si pitoyablement comparable à cet exquis
Oxford...

Oxford sur qui j'ai fait des vers absolument inédits
en France, et que voici, parce qu'ils expriment un mien
« état d'âme » assez récent (1893) :

OXFORD [35]

Oxford est une ville qui me consola,
Moi, toujours rêvant de ce Moyen Age-là.

En fait de Moyen Age on n'est pas difficile
Dans ce pays d'architecture un peu fossile.

A dessein, c'est la mode et qui s'en moque fault ;
Mais Oxford, c'est sincère, et tout l'art y prévaut,

Mais Oxford a la foi, du moins en a la mine
Beaucoup, et sa science en joyau se termine.

En joyau précieux, délicieux : les cieux
Ici couronnent d'un prestige précieux

L'étude et le silence exigés comme on aime
Et la sagesse récompense le problème.

La sagesse qu'il faut, c'est, douce, la raison
Que la cathédrale termine en oraison

Sous les arceaux romans qui virent tant de choses
Et les rinceaux gothiques, fins d'apothéoses

De saints mieux vénérés peut-être qu'on ne croit,
Et mon cœur s'humilie et mon désir s'accroît

De devenir et de redevenir, loin d'elle,
Cette cité, glorieuse d'être infidèle,

Paris ! l'enfant ingrat qui s'imaginerait
Briser les sceaux sacrés et tenir le secret —

De devenir et de redevenir la chose
Agréable au Seigneur, quelle qu'en soit la cause,

> *Et par cela même être encore doux et fort,*
> *O toi, cité charmante et mémorable, Oxford !*

Je commis dans cet amphithéâtre d'un sale à se brosser toute la vie, un discours latin, une dissertation française, que je voudrais bien ravoir aujourd'hui pour les vendre comme autographes.

Au lendemain, vers onze heures, inquiet, je revins dans la cour noire et mal pavée, me coller, sans espoir, le nez contre l'affiche des « reçus à l'écrit ».

J'étais reçu!

XI

Le lendemain, nouvel examen, nouvelles émotions, directes celles-là. Il s'agissait de l'oral, c'est-à-dire de comparaître ou plutôt de comparoir devant des juges en robe comme les autres, ceux de droit commun et, sinon plus sévères qu'eux, tout au moins plus méticuleux et moins expéditifs. Ici, il fallait répondre présisément, nettement, quelquefois dans les plus infinis détails. Nul alibi à invoquer, pas de mensonges habiles à opposer à des questions plus ou moins vagues, — et aucun avocat!

Mes réponses sur l'histoire passèrent comme une lettre à la poste, mon « numéro » indiquait un parallèle sur César et Pompée, ce pont-aux-ânes, que je franchis prestement sans une hésitation, sans un recul (je m'étais si fort intéressé, pourquoi ? mon Dieu, sous la *tuition* de mes deux excellents maîtres Ernest Desjardins et Camille Rousset, à la lutte de ces triumvirs), et quelques considérations (!) sur le règne, en général, de Louis XIII. *Les Trois Mousquetaires* lus en cachette dans l'ombre propice du pupitre de l'étude ne m'avaient-ils pas tout fraîchement préparé à de triomphales et triomphantes répliques ?). J'amenai donc une « blanche » sans peine aucune quant à la partie historique du si terrible « bachot » de ces temps-là.

La partie littéraire, où je fus brillant, était présidée par M. Mézières, de l'Académie actuellement et de la

Chambre, qui m'examina sur Boileau et sur Bossuet.
Or, j'y étais ferré à glace. Autre boule blanche.

Boules blanches également en latin : Cicéron, Tite-
Live (qui donc m'interrogeait ?), et en grec, où l'excellent père Haze, l'helléniste en chef de ce temps-là concur-
remment avec Egger, fut très coulant sur ma plutôt
annonante explication à livre ouvert d'un chœur de
Sophocle et d'une période de ce dur Démosthène.

Mais où la rouge en majorité et quelque peu la noire,
prévalurent, ce fut dans la partie Science. L'arithmé-
tique m'embarrassait passablement, la géométrie pour
laquelle mon père m'avait pistonné en outre des répé-
titions spéciales du père Pointu (point U), le frère très
scientifique du très littéraire patron de la pension L...
n'eut pour ma médiocre érudition en fait d'X que
d'assez modestes obstacles à me faire sauter. — Par
exemple, en physique, ma défaite fut mémorable.

« Veuillez, Monsieur, me donner la définition de la
pompe aspirante et de la pompe foulante. »

Ceci était dit par M. Puiseux, un redoutable savant,
roux comme David, aux doigts poilus avec des bouts
carrés, qui parlait d'une voix trop autorisée, hélas !

Et je répondis :

« Monsieur, la pompe foulante est une pompe qui
foule, et la pompe aspirante est une pompe qui aspire. »

Il me fut déclaré :

« Très bien, Monsieur. »

(Une noire était impliquée dans cette approbation).

Et voilà comme je fus reçu à l'oral — donc, bachelier
ès lettres à vie.

Surprise partout, — dans mon for intérieur d'abord,
à la pension ensuite, et surtout chez mes parents peut-
être, ravis quand même.

... Et maintenant j'aborde rétroactivement ma vie de
collège, m'exposant au blâme des hypocrites comme
eût dit l'hypocrite Jean-Jacques, et ne plaidant pas les
circonstances atténuantes vis-à-vis de mes atténués
de contemporains.

Donc la sensualité me prit, m'envahit, entre douze
et treize ans. Je crois même que dès lors je n'ai pas été
ne sachant guère rien que mettre mes mains ailleurs qu'à

droite et à gauche, sans les reposer là où je le jugeais
bon..., ou meilleur... encore !

Ceci dura dans les huit ans. Pitié, Messieurs, et, certes,
Mesdames, de qui la revanche sur ces en quelque sorte
prématurées ambitions, fut telle !

XII

Je dois pour m'acquitter en conscience des révélations
dans lesquelles il me faut entrer revenir d'un peu loin
sur mes pas et parler à nouveau de ma toute prime
adolescence, combien différemment, hélas ! des chapitres
qui précèdent immédiatement le pénultième.

A l'ignorance quasiment céleste du premier commu-
niant, à l'encore en quelque sorte inconscience du
mauvais « renouvelant », devait succéder, parallèlement
à l'incrédulité croissante, cette sensualité ridicule et d'autant pire qu'elle reste tristement impuissante... jusqu'à
l'explosion prématurée d'une virilité facticement pré-
coce, d'autant pire à son tour.

Ajoutez à ces fatigues auxquelles se mêlaient encore
des remords, s'il m'est permis de m'énoncer et de me
dénoncer ainsi, l'éveil tant puéril d'ailleurs de l'homme
de lettres que j'étais destiné à devenir... Car il paraît
que j'étais destiné à devenir un homme de lettres ! Et
vous verrez d'ici le petit abruti que je ne manquais pas
d'être entre mes quatorze et mes treize ans.

Mes « remords » ne laissaient pas, en outre, d'être
parfois amusants, au fond, quand j'y pense, maintenant !
Mon confesseur, quand il me chapitrait à propos de ce
fameux sixième commandement dont je devais beaucoup
plus et beaucoup trop tard apprécier toute la haute et
salutaire importance, avait coutume de me préconiser,
lorsque le diable me tenterait, la prière, et la prière à
mains jointes de préférence. Hélas ! je les joignais, mes
humbles mains, de mon mieux qui n'était pas toujours le
mieux qu'il eût fallu, ni le plus longtemps possible...

L'homme de lettres, disons plutôt, si vous voulez bien,
le poète, naquit en moi vers précisément cette quator-
zième année si critique, de sorte que je puis dire qu'à

mesure que se développait ma puberté, mon esprit, aussi, se formait, à sa façon que voici en quelques lignes...

Mes premières lectures ou pour parler plus nettement, ma première, toute première, lecture fut, — en dehors naturellement des livres classiques dans l'espèce, *Gamiani*, *L'Enfer de Joseph Prudhomme*, *L'Examen de Flora*, *Les Œuvres secrètes de Piron*, — fut, dis-je, *Les Fleurs du mal*, 1re édition, qu'un pion avait laissé traîner sur sa chaire et que je *confisquai* sans scrupule[36]. Il va sans dire que je n'avais aucune idée de cette poésie si éloignée de mon âge, nourri, aussi bien, de plus sages « morceaux choisis... ». Même le titre fut pour moi longtemps fermé et j'avais dévoré le bouquin sans y comprendre rien sinon que ça parlait de « perversités » (comme on dit dans les pensionnats de jeunes demoiselles) et de... nudités parfois, double attrait pour ma jeune « corruption », — et j'étais fermement persuadé que le livre s'appelait tout bonnement : *Les Fleurs de mai*.

Quoi qu'il en soit, Baudelaire, eut à ce moment, sur moi, une influence tout au moins d'imitation enfantine et tout ce que vous voudrez dans cette gamme, mais une influence réelle et qui ne pouvait que grandir et, alors, s'élucider, se logifier avec le temps...

Un certain jour de congé, je « bouquinais », pour, ma foi la première fois de ma vie, en compagnie d'un camarade, car on commençait trop tôt, à mon avis d'aujourd'hui, à me laisser sortir seul. Vers le milieu du quai Voltaire, chez un libraire nommé Beauvais, nous avisâmes *Les Cariatides*, — et j'avoue que la lecture de ces vers, charmants en vérité et peut-être plus puissants dans leur bouillante jeunesse que les œuvres plus parfaites de la maturité de Banville, m'empoigna *sur le champ*, bien autrement encore que la condensation et la foncière austérité des *Fleurs du mal*...

> ... *A ce festin, de toutes parts venus,*
> *Soupaient tous les don Juan et toutes les Vénus.*

... Il n'y eut pas jusqu'aux un brin extravagantes et peut-être un tantinet fumistes strophes *quarante-huit* et phalanstériennes qui commencent par

> *Coupe, sein, lyre,*
> *Triple délire*
> *Où ne peut lire*
> *L'œil d'Israël,*
> *Sous ton déisme*
> *Se brise au prisme,*
> *Le synthétisme*
> *Originel...*

qui ne séduisissent véhémentement mon goût déjà prononcé pour le tortillé et la phraséologie un peu vague que l'on me reproche, à tort, je l'espère, aujourd'hui tout au moins.

Banville, d'ailleurs, dans les éditions subséquentes, supprima ce poème que mit en musique... sacrée, le si intéressant Cabaner, l'auteur du *Pâté*, dont voici les vers faits par lui-même, que je vous donne comme inédits :

> *Décidément ce pâté*
> *Est délicieux ; de ma vie*
> *Je n'en ai, je le certifie,*
> *Mangé de mieux apprêté...*
> *Ami Jean, retournes-y !*
> *Va-t'en faire à la pâtissière*
> > *Mon sincère*
> > *Compliment...*
> > *Excellent,*
> > *Excellent !*

Je devais, quelques années après ces premières impressions littéraires, connaître et Banville et Cabaner en personne, et bien d'autres aussi de qui il sera question en leur temps comme de Cabaner et de Banville : ce ne sont pas (hélas ! et Dieu merci !) les souvenirs de toutes sortes qui me manquent. On me reproche même comme une pose et une affectation d'en publier de droite et de gauche, par trop, tandis que ce n'est, la plupart du temps, de-ci de-là, que débarras douloureux ou, comme ceci par exemple, que pénibles confessions.

... De mes essais littéraires, je ne dirai rien, sinon qu'ils furent détestables. J'ai d'ailleurs oublié, sauf quelques

vers et quelques plans, ces élucubrations parallèles à...
de mauvaises habitudes. Il me souvient, entre autres
choses, que je pourrais qualifier en quelque sorte de
masturbantes, car elles étaient bien le fruit (quel fruit!)
de mon seul « intellect » privé de tout commerce avec
quoi que ce soit, bon sens, goût, tact, il me souvient
donc, de l'ébauche d'un drame sur Charles-le-Fou (lisez,
Charles VI) dont le premier acte (celui du bal masqué où
le roi brûle à moitié et commence à devenir maniaque)
s'ornait d'une ronde orgiaque qui débutait ainsi :

> *Que l'on boive et que l'on danse*
> *Et que monseigneur Jésus*
> *Avecque les saints balance*
> *La chaîne des pendus !*

Quant à vous informer de la suite de ce drame, non,
vraiment, en bonne conscience, et vous ne le voudriez
pas. Bornez-vous à savoir que le second acte, insistant
sur le premier et formant en quelque sorte un second
prologue, avait pour décor la légendaire forêt où l'infortuné monarque rencontrait une espèce de sauvage,
braconnier ou tout simplement ivrogne dont la vue
baroque et plus qu'insolite le fait tourner fou définitivement. Et, dans les actes d'après, en avant les Anglais,
la guerre de cent ans *et cœtera desiderantur !*

Aussi, le projet, ô antithèse! d'un *Charles le Sage :* le
roi Jean, Étienne Marcel...

Enfin, un *Louis XV* en six actes et un Damiens avec
une sœur [37] au Parc-aux-Cerfs.

> *Le sang du peuple il cri' vingince !*

déjà...

XIII

Hélas! il me faut rétrograder de ces innocents petits
efforts vers « l'Art » par devers une psychologie plutôt
physiologique, triste en tout cas.

Ce fut aux environs de l'époque où se remuait en moi
la manie des vers et de la prose (car je faisais aussi
d'étranges nouvelles sous-marines à la façon, plutôt
d'Edgar Poe — car Jules Verne, d'ailleurs jamais très
haut coté dans ma curiosité, n'était pas encore inventé
que je sache, — et de quelle façon, justes dieux! —
et des contes dont l'Hoffmann des Frères Sérapion se fût
réjoui passablement, tant il y était naïvement plagié)
que commença de grouiller dans mon... cœur l'amativité
dont j'ai parlé plus haut et, pour brusquer l'aveu ridicule,
il m'arriva dès lors d'éprouver à l'endroit de plusieurs
camarades plus jeunes que moi et successifs ou collectifs,
je ne me souviens plus très bien, la jolie passionnette
de l'Esplanade à Metz. Seulement, au cas présent, la
puberté venant, ce fut moins pur...

Le voilà dévoilé, ce secret plein d'horreur !

Toutefois il n'est que juste de dire avec empressement
que mes « chutes » se bornèrent à des enfantillages sen-
suels, oui, mais sans rien d'absolument « vilain » — en
un mot, à des jeunes garçonneries partagées au lieu de
rester... solitaires. Il y a là toute une philosophie et
surtout une morale que je dégagerai peut-être ici même,
bientôt.

Ouf! — en attendant pour plus tard de mieux intéres-
santes révélations dans cet ordre d'idées et dans d'autres,
parlons à nouveau littérature, voulez-vous ? puérile et
adolescente littérature, l'histoire en abrégé, entendais-je
dire, de ma vocation, des mois d'apprentissage prépara-
toires aux années et aux années d'instruction et d'éducation.

J'avais seize ans, j'étais en seconde, ayant passablement
lu d'à peu près tout, poésie, romans, de Paul de Kock à
Paul Féval, d'Alexandre Dumas à Balzac, voyages,
traductions, le tout dans mon pupitre, *Les Misérables* qui
venaient de paraître, loués à un cabinet de lecture du
passage de l'Opéra, — et j'avais déjà fait plusieurs pièces,
les plus enfantinement « farouches » et intransigeantes,
tous les *Poèmes saturniens* tels qu'ils parurent en 1866,
sans compter bien d'autres « poèmes » qu'un goût
meilleur qu'eux me fit écarter de ce premier livre. Je

disais dans le chapitre précédent que je ne publierais ici
aucun de ces vers par trop de « jeunesse ». Depuis,
changeant d'avis, je ne sais, à parler franc, trop pourquoi,
j'ai fouillé dans le reste, encore assez considérable pour
être encombrant, de mes paperasses jadis innombrables
dans quel désordre! pour donner quelque idée, au moins,
de ma « manière » d'alors. Je n'ai rien retrouvé, mais
rien de rien retrouvé de ces essais où il y avait pourtant
pour le moins autant d'intérêt que dans les *Poèmes
saturniens* tels qu'ils parurent dans la première collection
des poètes contemporains chez Alphonse Lemerre, en les
derniers mois de 1867.

Seuls ont surnagé de ce d'ailleurs peu regrettable
naufrage deux sonnets, l'un publié il y a quelque deux ans,
lors d'une tournée de conférences, dans un journal de
Liège, si je ne me trompe. Qui diable avait déniché ce
corbeau d'antan ? Ça s'intitulait *L'Enterrement*, et le
premier vers allait ainsi :

> *Je ne sais rien de gai comme un enterrement...* [38]

L'autre a été publié naguère dans une chronique de
journal du soir par un quelqu'un signant « Pégomas »,
que je remercie en faveur de la bonne intention; le
voici dans sa forme encore naïve et déjà un peu raffinée.
J'étais, quand je le fis, en seconde, ainsi que le rappelle
le chroniqueur en question, qui, paraît-il, fut mon condis-
ciple au lycée Bonaparte. Voici ce remarquable morceau.

A DON QUICHOTTE

(Je crois même que dans le manuscrit il y avait *Don
Quijote* pour plus de couleur locale.)

O don Quichotte, vieux paladin, grand bohème,
En vain la foule absurde et vile rit de toi :
Ta mort fut un martyre et ta vie un poème
Et les moulins à vent avaient tort, ô mon roi !
Va toujours, va toujours, protégé par ta foi,
Monté sur ton coursier fantastique que j'aime.
Glaneur sublime, va ! les oublis de la loi
Sont plus nombreux, plus grands qu'au temps jadis lui-même

Hurrah !

(Aujourd'hui, mieux avisé, et étant donné que la couleur locale me turlupinât autant qu'en cette période de mes débuts, je remplacerais cette exclamation par trop britannique par le « Olle! » séant.)

Hurrah !

donc, puisque *Hurrah* il y a,

> *Nous te suivons, nous, les poètes saints,*
> *Aux cheveux de folie et de verveine ceints.*
> *Conduis-nous à l'assaut des hautes fantaisies,*
> *Et bientôt, en dépit de toute trahison,*
> *Flottera l'étendard ailé des poésies*
> *Sur le crâne chenu de l'inepte raison !*

Il y avait aussi une imitation, ô si inconsciemment impudente, et ô si mauvaise! des *Petites Vieilles* de Baudelaire, laquelle, il est à craindre, doit avoir à jamais disparu d'entre les choses comme elle a tout à fait décampé de ma mémoire et qui débutait par ce vers et ces deux hémistiches distants l'un de l'autre d'un quart et d'une moitié d'hexamètre :

> *Il m'arrive souvent, tous les jours, dans les rues,*
> *De croiser des vieillards et des vieilles...*
> . . . .*torticolis en grues.*

Et enfin un *Crépitus* (bien avant celui, si drôle, de Flaubert [39]) manière de manifestation pessimiste où, après une description d'intérieur de fosse, dans une buée mal odorante, — naturellement, — surnaturellement apparaissait le « dieu » qui débitait un discours très amer, direct et méprisant au possible pour l'humanité, sa mère pourtant! Ici encore, je ne me rappelle que les deux premiers vers de la longue, peut-être trop longue, harangue de l'étrange divinité; mais, ces vers, ils sont bien, n'est-ce pas ?

> *Je suis l'Adamastor des cabinets d'aisance,*
> *Le Jupiter des lieux bas...*

Sans doute en voilà trop de ces sortes de citations d'ailleurs discrètes, forcément aussi bien, et je reprendrai, avec votre permission, l'itinéraire, en quelque sorte, de mes progrès, si progrès il y eut, dans l'érudition poétique...

Après Baudelaire et Banville, savez-vous — sous, bien entendu, Victor Hugo que j'admirais sans beaucoup l'aimer en somme, alors, — je ne devais me rendre un compte exact de Lamartine et de Musset et d'autres encore, Vigny, par exemple, que beaucoup plus tard, — savez-vous, dis-je, quels furent puissants (éducateurs, on éducateurs en même temps qu'en quelque sorte complices) sur ma vocation dès lors bien décidée, mais, à ma première rencontre avec, irrésistible et désormais facile, rudement, durement facile, mais facile irrésistiblement ?

Vous vous souvenez de ce libraire du quai Voltaire dont je parlais précédemment et chez qui j'avais eu la première connaissance des *Stalactites* de ce magicien de Banville. Eh bien, c'est encore là que me fut révélé ce merveilleux livre de début, *Les Flèches d'or*, d'Albert Glatigny, un tout petit peu avant que je ne lusse *Philomela*, qui marqua si joliment et comme si génialement les débuts de Catulle Mendès.

XIV

Donc, Glatigny, puis Mendès eurent sur mon esprit instinctivement *camarade*, soit dit pour atténuer le mot de complice plus haut employé, qui serait trop fort en fin de compte, la domination qu'il fallait, moyennant la joie d'avoir raison dans des esprits de mon âge ou d'à peu près mon âge.

Pourquoi — puisque c'était indiqué, — pas cette attirance [40] vers des égaux que je croyais dès alors être et qui sont des égaux admirés ?

Admirés ! oui, — aimés mieux encore.

Car quel camarade, en attendant d'être combien ami, me fut Catulle Mendès, et quel ami avant qu'il fût ce camarade, me devint tout de suite Albert Glatigny !

Ceci et cela sans connaître en personne ni l'un ni l'autre de ces frères, mais en me récitant, quasiment comme mes prières du soir et du matin, las! oubliées lors, des bouts de vers dans ce genre-ci :

> Ce jour, ma mie Aline avait un chapeau vert,
> Là-bas des cuirassiers retentissants de cuivre...

. . . .

> J'aime les fronts hâlés qui portent le haubert :
> Il est beau de mourir plus qu'il n'est bon de vivre,
> Et lorsque la bataille effroyable se livre,
> Le plus heureux a nom Murat ou Canrobert.

. . . .

> Arche! dit en riant mon joli colonel.

. . . .

Et vous voyez qu'il y avait de quoi, en effet, s'emporter de tout son être vers ce jeune talent — si beau déjà!...

Quant à Glatigny, — permettez-moi d'en parler pour l'instant plus longuement, afin d'en mieux revenir à mon non moins glorieux et, j'espère, bien longtemps survivant compagnon d'armes.

C'est le mot, car ce fut, de notre temps, la mode d'être militant et nous avions encore un peu du sang des Pétrus Borel et de ces Philothée O'Neddy que voici qui mouraient chez nous s'il n'y avait encore céans (et céans de nos jours) des jeunes gens, eussent-ils quarante et cinquante ans... avec le diable au corps, par-dessus le marché!

Ce Glatigny! Son livre, *Les Vignes folles*, où toute l'audace, toute la grande belle verve française furent retrouvées pour, Ponchon, que vous les retrouvassiez sous une tout autre forme non moins puissante. Sa comédie : *Vers les saules* :

> Je jette à qui le veut mon cœur : je n'en veux plus!

Son volume de dessous le manteau et de derrière les fagots : *Joyeusetés galantes* :

> *Le poète excellent dont nous t'offrons les carmes,*
> *De son temps, bon lecteur, fut un des bons raillards,*
> *Que l'on vit. . . . . .sous les armes!*

D'ailleurs, acceptant avec orgueil la dureté de sa vie, ayant souffert tout au monde, même d'être arrêté par la « maréchaussée » de Corse comme étant l'assassin du président Poinsot, lui qui répondit au procureur impérial :

> *Or, moi je ne suis rien que le fils d'un gendarme.*

ce qui était vrai, et qui, mis au violon, se dit :

« Jud, alors! »

Ces notes sont trop anecdotiques pour que mon cœur et mon goût insistent trop sur ce cher disparu dont il sera question, tout à l'heure encore.

Quant à Catulle Mendès, ce fut, à mon égard, un magicien, à qui tout mon hommage est dû, en dépit de quelque dissidence que je ne défendrai pas à mon amitié si profonde de ne pas taire quand il faudra.

Mais, ça ne fait rien. Et los à ces deux associés de ma douce misère... pour rire, en ces temps-là, — pas beaucoup plus riches que moi... quoiqu'il ait été dit :

> *Ah! que Rothschild est pauvre! Il n'a pas vu Lagny,*
> *Sans bonheur et sans joie*
> *Le riche est ce poète appelé Glatigny...*
> . . . .

et parce que le poète est toujours pauvre, quand même il s'appellerait Byron, Lamartine ou Tennyson.

Il est vrai qu'il y a Homère, Chatterton et, en attendant mieux, presque nous tous, les modernes, jeunes et vieux.

XV

Mais il n'est que temps, au moment de clore cette première partie de ces notes sur ma vie, de revenir au point de ma prime jeunesse où je passais mon *bachot*, c'est-à-dire vers l'âge de dix-sept ans. Ledit *bachot* (dont j'ai gardé le diplôme imposant) ne fut pas ma seule initiation aux choses de l'existence si j'ose m'exprimer ainsi. Déjà la Femme me hantait ou plutôt hantait et tentait mes rêves. Mais, voilà ! comment faire pour la hanter, sinon pour la tenter ? Mais l'entêté que j'étais déjà, sans plus de volonté, d'ailleurs, qu'aujourd'hui, — du moins des gens pensent ainsi — finit tout de même par se procurer la somme peu considérable et le renseignement nécessaire en vue d'une « orgie à la tour »... Il va sans dire que par « orgie à la tour » j'entends l'accès de ces maisons qui tendent, paraît-il, à disparaître, et où, si j'étais encore ingambe et que je ne fusse pas devenu ce monsieur empêtré, j'irais, tellement les femmes honnêtes (?) m'ont rendu sceptique à l'égard du sexe enchanteur... La pièce de dix francs indispensable à mon dessein fut distraite par moi de la modeste mensualité que me faisaient mes parents pour mes menus plaisirs. Une *carotte* tirée à ma mère, devait récupérer doublement et triplement ce prélèvement, au profit de mes « passions », sur ce budget d'un écolier qui devenait un mauvais sujet.

Le renseignement touchant l'établissement recommandable me fut fourni par un camarade d'une année plus âgé que moi, un nommé F... qui finit, en dernière information, « clarinette » au théâtre des Folies-Marigny. Quant à *celui* de mes débuts... dans la galanterie, il se trouvait dans une rue bouleversée depuis la rue d'Orléans-Saint-Honoré, et dans ce bouleversement, disparut. Ce fut une maison d'apparence modeste, aux volets chastement fermés, qui n'avait d'emphatique que son numéro. Le soir, au bord d'un corridor faiblement éclairé, quelque dame fortement décolletée sous son « mantelet » faisait au passant de chaleureux quoique discrets appels, à l'un desquels je me rendis par certain samedi soir de mai, que j'avais obtenu un *exeat*, exceptionnellement à la coutume de la pension qui était de n'accorder de sortie que le dimanche après la messe.

Je fus introduit dans un salon rouge et or qui avait plutôt l'air d'un café de province, seulement, au lieu de banquettes et de tables, ce n'étaient que poufs et canapés où des personnes, médiocrement jeunes, attendaient, grasses et patientes, l'hommage du client. La fumée des cigarettes de ces dames et des cigares des quelques messieurs attardés là sans doute en vue d'attentions et de précautions conjugales, créait une atmosphère nourrie à travers laquelle je discernai néanmoins une beauté en peignoir rose qui me parut sortable et potable bien que n'étant probablement ni l'un ni l'autre. Mais j'étais à l'âge des illusions...

L'élue de mes sens me fit monter un escalier que garnissaient de sourds tapis et nous arrivâmes dans une chambre toute fausses dentelles sur tous les meubles, aux murs recouverts de lithographies voluptueuses et mal artistiques.

De la nuit qui s'ensuivit, qu'en dire sinon rien, absolument ? Aussi bien m'aperçois-je que j'en ai écrit un peu trop sur ce sujet. Car que vous importe, lecteur, que j'aie été, ou non, heureux en cette aventure ? Toujours est-il que le lendemain matin je rentrais chez mes parents avec une mine qu'on trouva fatiguée et que je sentais grise et longue.

Ce qui n'empêche pas qu'après un... repos de quelques... mois, — et comme j'étais définitivement sorti de la pension L... et du lycée Bonaparte, muni de mon baccalauréat et d'une première (restée seule) inscription d'étudiant en droit, je recommençais sur nouveaux frais dans des circonstances guère bien plus agréables ou relevées, et commençai à trouver la *chose* mieux qu'en première analyse.

D'ailleurs je continuai mes expériences avec une fréquence qui ne fit qu'accroître mes curiosités... non encore satisfaites à mon âge de cinquante ans passés.

Il ne me reste plus qu'à remercier le lecteur de sa patience à m'avoir prêté jusqu'ici (du moins je le présume) une attention que le je prie de me conserver pour lors de la reprise de ces *Confessions*. Ces nouvelles *notes sur ma vie* seront d'un caractère à la fois littéraire et... social, de plus en plus foncé, comme concernant une existence de moins en moins lumineuse encore que plus éclairée, hélas! de ce moi compliqué, bien contre mon gré d'homme tout simple et peut-être naïf.

DEUXIÈME PARTIE

I

Je reprends le cours de cette histoire, j'allais dire, de brigands, mettons, de ce conte de fées.

Donc, j'étais un peu, trop peut-être, « initié », répéterai-je [41], — initié, mal encore, j'étais si jeune! — à tout, ou à presque tout en fait de littérature... et d'autre chose.

En attendant de parler d'autre chose, et de tant d'autres choses aussi, je dois et je veux — ce m'est de toute importance au point de vue littéraire d'y insister — dire combien je fus véritablement remué jusqu'aux entrailles par ces deux poèmes, *Les Vignes folles* et *Philomela*. Dans le premier de ces chefs-d'œuvre — je maintiens le mot que je me fais fort de prouver — je retrouvai mon cœur naïf, mon esprit à la vent-vole, en outre de l'art de « tourner le vers », comme on dit vulgairement et bien, après tout! tandis que *Philomela* me transportait par sa malice initiale et sa miraculeuse outrance dans l'ordonnance magistrale du rythme dur et sûr et de la rime toujours correcte, sans grimace inutile vers une richesse bête. Ce prologue!

> *Deux monts plus vastes que l'Hékla*
> *Surplombent la pâle contrée*
> *Où mon désespoir s'exila!*

. . . .

> *O ton cri qu'emporte Borée,*
> *Philomela, Philomela!*

et toutes les forces et toutes les grâces dont resplendit, dont sonne et résonne ce livre qui me fut longtemps, avec *Les Vignes folles*, de chevet.

Les Vignes folles, qui sont à mes yeux le meilleur gage qu'ait donné, parmi trop peu d'autres, puisque la mort nous l'a ravi si tôt, Glatigny, j'en raffolais aussi et je m'en redis parfois, malgré ma mémoire oblitérée, les strophes envolées toutes de verve et d'une si jolie et forte et saine, en dépit des « sujets », naïveté. Comme il flétrit, en sortant, sans nul doute, de tel endroit qui me rappelait tant la maison, démolie, de la rue d'Orléans-Saint-Honoré :

> *Le stupide garçon qui sert en ce logis !*

et comme, en revanche et sous forme de compensation, il célèbre, en faune qui s'y connaissait, une dame non encore ni plus déjà habillée :

> *Sur ton ventre dur qui brille*
> *L'ombre noire s'éparpille !*

...J'adorais, littéralement, ces deux poètes, en attendant que je connusse et que j'aimasse ces deux charmants garçons desquels l'un, hélas ! est parti pour toujours, — mais dont l'autre, Dieu merci ! vit glorieusement, et robuste, et gai, et plus jeune que jamais, et plus gentil que jamais envers ses camarades — et, dit-on, vis-à-vis des femmes !

Comment fis-je la connaissance de Glatigny ? Ici « l'auteur », à l'encontre de l'adage,

> *S'embarrasse*

peu, — car ce fut au café de Suède que je le rencontrai, un jour qu'il était un peu pris d'absinthe et que j'en étais pris aussi... un peu aussi ?

Le pauvre ami ! Quelle verve drôle et quel drôle de corps : long comme une anguille, souple comme elle ; pour ce qui concerne la verve, quelle donc grand'verve il

Vous avait...

« Donc », ainsi employé, appartient au patois, si léger!
des Ardennes dont je suis à demi comme on a comme
qui dirait une bague au doigt ou une plume au chapeau.

Il avait une de ces philosophies comme je vous en
souhaite (et à moi aussi). Par combien de misères et de
mistoufles il avait passé? autant, avant d'y même penser
compter les flots de la mer ou dénombrer étoile par
étoile telle nébuleuse.

J'ai dit « faune » et je savais, comme par hasard, ce que
je disais quand je l'ai dit.

Non pas le

Vieux faune de terre cuite [42]

dont on me rebat les oreilles, sous prétexte que j'en suis
l'auteur bien innocent, à l'instar de Sully Prudhomme,
bien innocent, lui aussi, de ce fameux *Vase brisé*.

Je dis « faune » à cause de ses oreilles évasées, de son
nez effronté quoique pointu, et de son rire si paysan,
aux dents saines qui auraient pu mordre, si son cœur,
le meilleur qui palpitât, n'y eût mis ordre.

Quant à Mendès, je l'ai connu chez la Marquise de
Ricard, la mère très aimable de l'excellent poète langue-
docien qui fut, avec lui, fondateur du *Parnasse contemporain*. Tout le monde aujourd'hui connaît l'homme
exquis, le raffiné sans pair, si simple et si sincère quand
on est son intime et qu'il était dès ces époques reculées,
avec un grain de gaminerie de haut goût et que vous
avez ses vingt-cinq ans, prestigieux de bonne verve et
de belle audace.

J'ai parlé longuement de ces deux poètes, trop longuement peut-être, et à deux places. Mais ce m'était un
double devoir de reconnaissance et un infini plaisir.
Excusez-moi donc. J'en ai fini, trop tôt à mon gré, avec eux.

II

Puisque décidément je suis entré dans la *Via dolorosa*
des plus intimes aveux et que je me plais dorénavant à

cette franchise qui fait l'honnête homme, parlons du
peut-être seul vice impardonnable que j'ai, parmi tant
et tant d'autres :

— La manie, la fureur de boire, — là!

D'abord, j'ai bu beaucoup quand j'allais chez mon
oncle, à Fampoux, près d'Arras (gros village célèbre
par un terrible accident de chemin de fer... Victor Hugo
a dit : « Le Fampoux d'une conscience. ») de l'breune
et de chel'blinque et du g'nief' sans compter les bistoules
(mots amusants puisque patoisants, mais choses dures,
même pour un estomac de vingt ans et déjà préjudiciables
à une tête déjà en l'air).

Or, la première fois que j'ai bu, je pouvais en effet
avoir dans les dix-sept, dix-huit ans. Je connaissais par
conséquent la Femme et je vous assure que j'honorais
fort cette sainte-là!

Donc je n'avais plus trop de ces scrupules enfantins
que je regrette, trop en vain, de ne plus avoir du tout,
— malgré cette affreuse santé qui m'avertit et parle, je
le crains, à un sourd.

Et, non sans lutiner les filles de là-bas ni sans les bous-
culer dans les granges et vers les meules, je me soûlais
carrément sous le « vain » prétexte que ça faisait pisser.
Je n'avais pas alors de maux de tête ni de pituites...

J'en ai rabattu, — tout en luttant de mon mieux qui
est, tout de même, bien.

Ici, je m'aperçois que, dans l'ardeur et l'enthousiasme
(peut-être) de parler de mon péché mignon (mignon?),
j'oublie un tas de choses pour le moins aussi importantes
que ce dont je viens de m'occuper.

D'abord je publiais les *Poèmes saturniens*, chez Alphonse
Lemerre, alors immédiat successeur de Percepied,
libraire religieux, lequel Lemerre s'inquiétait, en homme
intelligent qu'il était et reste, d'éditer splendidement
l'œuvre complète de la *Pléiade française* du XVIe siècle.

A ce volume dont j'ai suffisamment parlé succédèrent
les *Fêtes galantes* qui plurent mieux et *La Bonne Chanson* dont je vais vous entretenir — ô incidemment! pour,
par un détour un peu long, mais si logique, en revenir
à mon incorrigible désormais, disent les méchants,
ivrognerie.

Je comptais parmi mes meilleurs amis Charles de Sivry, le très charmant homme et le compositeur d'un si grand talent, qui me semble destiné à prendre « dans l'amour et le respect des Jeunes » la place du tant regretté Emmanuel Chabrier et j'allais souvent le chercher chez lui pour l'apéritif du soir.

Un jour, je vis, comme nous allions sortir, entrer, après le toc-toc de rigueur, sa sœur, une toute jeune fille en robe grise et verte, toute gentille brunette.

En tomber amoureux, avec mon tempérament impatient, eut lieu sans retard aucun et c'est comme cela que fut écrite *La Bonne Chanson*.

O, comme dit Victor Hugo dans un vers dont il est rarement retrouvé l'analogue vibrant et vivant,

O mes lettres d'amour, de vertu, de jeunesse [43]!

Car il faut vous apprendre que ce fut par lettres, elle en villégiature en Normandie, et moi, mon bureau de l'Hôtel de Ville me retenant à Paris, que fut composé ce cher petit volume qui est encore, ô jeunes gens qui aimez ce que je fais, ce que j'aime encore le mieux dans cette mienne pauvre œuvre!

De ce jour data ce qu'on appelle communément « une nouvelle ère » dans ma vie. La façon ou plutôt la tournure de ma conduite jusqu'ici, depuis ma vingtième année (et j'avais alors vingt-cinq ans passés) qui avait été débridée sinon tout à fait effrénée, tendit à se régulariser, à se ranger, pour parler bourgeoisement : en un mot, je songeai à faire une fin, et comme j'étais en somme tout jeune, la bonne fin, trêve et terme aux excès, boisson, femmes, commencement de la sagesse, non, pas tant que cela! de la modération en vue d'un possible et probable bonheur ou du moins calme conjugal...

Mais, pour bien vous faire apprécier, goûter cette phase si importante de ma jeunesse, il convient de revenir encore en arrière, après quoi ces notes iront plus rapidement jusque à peu près l'époque actuelle qui est, je le crains ou l'espère, ou les deux! la dernière de cette suite maussade, en définitive, d'événements contradictoires qui fut et continue d'être l'existence, la mienne!

Deux grands chagrins s'étaient succédé, il y avait six et cinq ans, pour mon cœur. Mon père, à la suite d'une chute dans un escalier, avait contracté, quelque huit ou dix mois auparavant, une maladie de la moelle épinière qui se manifestait par des attaques épileptiformes, dites, je crois, séreuses par les médecins, attaques de plus en plus fréquentes et suivies d'hébétude, et, sur la fin, de retours intermittents à l'enfance, accompagnés d'embarras extrême dans la parole et d'accidents ataxiques des plus alarmants et des plus pénibles à notre tristesse à ma mère et à moi.

Pour finir vite avec ce souvenir encore si vif bien que vieux de trente ans, je perdis mon père le 30 décembre 1865. Si je donne ce détail qui peut sembler trop précis dans l'espèce, c'est parce que, du fait même de la date, j'eus le supplément de peine d'enterrer mon pauvre papa le premier janvier! Ce trajet funèbre à travers les festivités et la joie de ce jour si bête m'est resté dans la mémoire comme l'une des plus odieuses besognes et l'un des plus douloureux devoirs!

Joignez à cela que, la veille, j'avais eu par surcroît, à l'État-Major de la Place, une discussion des plus acharnées, au sujet du piquet d'honneur dû au grade et aux décorations de mon père. « Comme le lendemain était un grand jour de fête, on ne pouvait fournir le piquet, mais si je voulais il y aurait peut-être moyen de procurer de la garde nationale. » Là-dessus, je ne pus m'empêcher de rire en dépit de ma tristesse, — et puis je m'emballai tellement, aidé dans ma trop juste réclamation par un ancien camarade de mon père qui m'accompagnait, que j'obtins le piquet de ligne... Mais ces chinoiseries m'avaient énervé au possible et je me souviens comme d'hier de l'état d'irritation qui, grâce à tout ça, se mêlait en ce jour de foule stupidement en fête et de mien si profond deuil, à mon abattement et à ma dépression de fils au désespoir.

Car j'aimais profondément mon père qui avait été si bon pour moi. Tenez, un exemple entre mille : durant les huit ans qu'avait duré mon séjour à la pension L..., il n'avait pas manqué un *seul* jour de venir me voir, m'apportant chaque fois quelque douceur, jusque, dans la saison et vu que je les adorais, dans un verre, à l'huile et au vinaigre, des haricots verts, — et les jeudis soir il avait grand soin de donner à la cuisine pour mon repas du lendemain (on faisait maigre à la pension) une de ces côtelettes « détaillées » qui sont divines ou quelque rumsteck qu'Albion eût envié pour sûr... Pauvre papa !

Ma cousine Élisa qui s'était mariée l'une des quelques années précédentes, dans le Nord, près de Douai, souffrait depuis quelque temps des suites d'une couche difficile et son médecin, — à qui Dieu pardonne ! — la traitait, entre autres drogues, par la morphine que l'on consommait en ces temps-là, non pas en injection souscutanées, mais par absorption. Ma cousine qui éprouvait un grand soulagement après chaque cuillerée, finit, comme c'est l'habitude des malades qu'on drogue ainsi, par y prendre goût et outra l'ordonnance déjà peut-être téméraire du docteur de campagne qui la soignait, — si bien, qu'un jour, à table, au dessert, comme elle chantait avec sa jolie voix, pour son mari, tout à coup elle poussa un grand cri et tomba en une syncope effrayante.

Un télégramme, immédiatement envoyé par le mari d'Élisa à ma mère, détermina celle-ci à se rendre tout de suite auprès d'elle, et je restai seul à la maison dont toutefois je devais m'absenter pour aller à mon bureau de la Préfecture de la Seine (car j'étais employé depuis plusieurs années dans cette administration). Une femme de ménage venait le matin, qui faisait sa besogne et partait en même temps que moi après qu'elle m'avait fait chauffer mon bouillon. Après mon bureau, je dînais dans quelque Duval du faubourg Montmartre. Deux jours s'écoulèrent pleins d'anxiété horrible, au bout desquels je reçus une dépêche me disant de venir au plus vite là-bas. Je pris immédiatement une voiture qui me conduisit en moins de vingt minutes à l'Hôtel de Ville, où je demandai deux jours de congé qui me furent accordés par mon chef non sans grommellement ni sans grandes recommandations d'avoir à revenir bien au temps convenu. « Vous comprenez, il y a l'emprunt de la Ville : il va y avoir des travaux extraordinaires... » — et patati et pata-l'autre. « En outre il y va de votre intérêt, de très sérieuses gratifications seront accordées à cette occasion. »

Je me fichais pas mal, en vérité, et de l'emprunt et des travaux extraordinaires et de mon intérêt et des gratifications — et, gardant mon fiacre, je rentrai à la maison, fis une valise en toute hâte et pris l'express pour V... [44], la plus proche station du village où demeurait ma pauvre cousine.

J'y arrivai par un temps affreux de février, pluie battante, vent furieux et glacé, ma valise d'une main et de l'autre un parapluie dont il ne m'était, vu l'ouragan, possible de me servir que comme d'une canne. — D'ailleurs qu'avais-je à gâter qu'un haut-de-forme enfoncé jusqu'aux oreilles, et que m'importaient, je vous le demande un peu, la pluie et la boue et tout, eussé-je été vêtu comme un prince ? Je m'enfonçai, courant plutôt que marchant, dans le petit jour, et dans la boue d'une route de trois « bonnes » lieues...

Dans quelle situation d'esprit, non! de cœur bien plutôt, j'accomplis cet affreux pèlerinage, je vous le donne à penser. J'arrivai enfin, trempé comme une soupe, de pluie, de sueurs et de pleurs — car quelle anxiété : est-elle encore vivante ? Je l'aimais tant! — aux confins du village, d'où, dès l'abord j'entendis un coup de cloche, puis deux, puis trois, puis tout un glas. Fou, j'entrais dans un cabaret sur la route :

« Ah! vous voilà, monsieur Verlaine...

— Et madame D [45]... ?

— On va l'enterrer. »

Je ne mis pas plus d'une minute, je gage, pour atteindre l'habitation d'où devait partir l'abominable cortège. Mon cousin par alliance, tout en larmes, se jeta dans mes bras et nous nous étreignîmes longuement... Ma mère faisait pitié à voir. Elle aimait Élisa comme sa propre fille. C'était, pensez donc, l'enfant d'une sœur adorée morte jeune, adoptée et élevée par mes parents loin d'un père, brave homme, mais ivrogne, à qui n'avait resté, en toute prudence, que son fils, le chasseur de Vincennes dont il a été question dans les premiers chapitres des ces *Confessions*, et qui m'avait reconduit si persuasivement à la pension L...

J'entrai dans le salon où était exposé le cercueil. J'y jetai l'eau bénite et sortis, chancelant.

En ce moment retentirent dans la cour de la fabrique (mon cousin était *sucrier*, comme on dit là-bas) les chants liturgiques. Il était trop tard pour songer à me changer et ce fut tout souillé de boue et fumant de pluie comme un chien mouillé et sous l'averse sans fin pour tout le jour, que je suivis ma cousine, ma chère à jamais regrettée, bonne, bien-aimée Élisa, portée par huit vieilles femmes en long manteau noir à l'immense capuchon comme monastique, rond et large sur leur front de tristesse non affectée, car elle avait été si bienveillante aux pauvres! tandis qu'aigre et faux s'égrenait le *De Profundis* de chantres plus habitués aux travaux des champs qu'aux Nénies qu'ils psalmodiaient là...

Les deux jours qui suivirent, je ne mangeai pas, je bus.

III

Oui, pendant les trois jours qui se succédèrent après l'enterrement de ma chère cousine, je ne me soutint qu'à force de boire de la bière et encore de la bière. Je tournai ivrogne, — si bien que rentré à Paris, et à mon bureau, où mon chef, par surcroît dans ma tristesse affreuse, me « chapitra » sur le jour en plus que j'avais pris, au point que je l'envoyai promener, rentré, dis-je, à Paris où la bière est affreuse, ce fut sur l'absinthe que je me rejetai, l'absinthe du soir et de la nuit. Le matin et l'après-midi étaient consacrés au bureau, d'où mon algarade ne m'avait pas fait remercier, — et d'ailleurs ayant, moi, l'égard pour ma pauvre mère, en même temps que pour mon chef de bureau la ruse de leur laisser ignorer la nouvelle et si déplorable habitude inaugurée.

Cette absinthe! Quelle horreur quand j'y pense d'alors... et d'un depuis qui n'est pas loin, assez loin pour ma dignité, pour ma santé, pour ma dignité pourtant plus encore, quand j'y pense, vraiment!

Un seul trait de l'atroce sorcière verte (quel imbécile l'a donc magnifiée en fée, en Muse verte!) un trait plutôt comique encore, en attendant des farces plus sérieuses.

J'avais une clef de l'appartement des Batignolles où nous continuions à vivre, ma mère et moi, depuis la mort de mon père, et j'en profitais pour rentrer à telle heure que je voulais de la nuit, moyennant des mensonges gros comme le bras, dont ma mère ne se doutait pas... ou se doutait, mais sur lesquels elle fermait... difficilement, et douloureusement, je le crains... aujourd'hui seulement hélas! les yeux. Où je passais les nuits? Pas toujours en lieux bien recommandables. De vagues « beautés » m'enchaînaient souvent de « liens de fleurs », ou je passais des heures et des heures dans cette *maison de la vieille* dépeinte si magistralement par Mendès et dont il sera parlé ici même en temps et lieu, ou j'allais purement, entre autres amis, avec le si regretté Charles Cros, m'engloutir ès cabarets de nuit où l'absinthe coulait à flots de Styx et de Cocyte!

Si bien qu'un beau, ou plutôt qu'un vilain petit jour, comme j'étais, suivant mon habitude, rentré subrepticement dans ma chambre séparée par un vestibule de celle de ma mère et m'étais, en silence, déshabillé puis couché à l'effet de goûter une heure ou deux d'un repos... injuste, bien que mérité, philanthropiquement parlant, je dormais à poings fermés, lorsque, vers neuf heures, heure à laquelle je devais faire mes préparatifs de départ pour le bureau, toilette, bouillon ou chocolat, maman entra dans ma chambre comme elle en avait coutume pour me réveiller.

Elle poussa une grande exclamation qui se sentait pourtant d'une envie de rire et me dit, car le bruit de la porte en s'ouvrant, puis la susdite exclamation m'avaient réveillé :

« Pour Dieu, Paul, comme te voilà! Tu t'es au moins encore grisé ce soir. »

« Encore » me blessa. Je répondis acrimonieusement :

« Pourquoi me dire "encore"? Je ne me grise jamais et hier encore moins que jamais. J'ai dîné dans la famille de mon vieux camarade un tel, où je n'ai bu que de l'eau rougie et que du café sans cognac après le dessert, et je suis rentré un peu tard, parce que c'est très loin d'ici, chez eux, mais je me suis couché bien tranquillement, comme tu peux le voir. »

Maman ne répondit pas un mot, mais allant décrocher à l'espagnolette d'une des deux fenêtres de ma chambre un miroir à main dont je me servais pour me faire la barbe, vint me le mettre sous les yeux.

J'avais couché avec mon chapeau haut-de-forme!

Je le répète en toute vergogne, j'aurai plus tard à raconter bien d'autres et de bien autres absurdités (et pis), dues à cet abus de cette horrible chose, la boisson et dans la boisson, cet abus lui-même, source de folie et de crime, d'idioties et de honte, que les gouvernements devraient sinon supprimer (et au fond pourquoi pas ?) du moins terriblement taxer et imposer :

L'absinthe!

IV

Cet état de choses, si l'on peut nommer un tel désordre habituel un état, même quelconque, de choses, durait donc depuis environ quatre longues années consécutives, lorsque m'apparut, dans cette petite chambre du second étage du petit hôtel de la rue Nicolet, — laquelle petite chambre devait devenir mon cabinet de travail, celui où je mettrais la dernière main à la saynète en vers, *Les Uns et les autres* — celle qui devait être ma femme.

J'ai fait son portrait dans un livre intitulé, de sorte assez réussie, *Mémoires d'un veuf* [46], livre que je n'ai pas là, titre d'ailleurs purement, ou presque, pour la forme plutôt que pour le fond, car c'est une pure collection de tout petits souvenirs dont celui de ma femme est un des moindres : le temps n'adoucit rien, principalement la rancune, mais il estompe, il embrume tout.

Je reproduis ce portrait de mémoire, avec probablement quelque modification plus douce-amère que dans le texte primitif (lequel texte vraiment primitif est déjà quelque peu altéré dans ces *Mémoires d'un veuf*-là) car à l'époque initiale, en quelque sorte virginale, en question, je n'étais que fiancé.

Voici cette esquisse encore... estompée, où je n'ai pu m'empêcher d'intercaler quelques vers depuis, qui néanmoins ne me semblent pas déplacés dans cet au fond pénible rappel vers de plutôt tristes souvenirs auxquels, de par la magie des choses passées, ils sont peut-être plus congruents qu'il ne paraîtrait de prime abord.

« Elle serait petite, mince, avec une promesse d'embonpoint. Cheveux châtains sur une tête mignonne en tous points. Face très douce, pâlotte, rondelette, un peu longue néanmoins, un nez à la Roxelane, je veux dire moyen avec le bout gentiment relevé. La bouche sourirait, peut-être légèrement rosâtre plutôt que rose et rose plutôt que rouge, bien que j'aime le rouge en tout, sauf, naturellement, dans le teint des femmes et les opinions politiques des hommes... ignorants. Le teint, précisément, tendrait vers un mat qui sous les yeux s'attendrirait en un bleuâtre joli pour s'épanouir, discret et comme dissimulant un parfum de nouvel ordre, enfantin et divin, en une fleur violâtre, vers les tempes.

« Elle parlerait tantôt peu, et qu'adorable alors son quasi silence qui permet de sympathiser avec sa respiration hâtive sans plus qui témoigne néanmoins d'une chère santé frêle, mais que le bonheur amplifiera, avec la palpitation presque imperceptible des veines bleuâtres de dessous les yeux et violâtres de devers les tempes, avec le bout chaste et si vite apparu puis disparu d'une langue de temps en temps et rarement passé sur les lèvres, avec les dents que découvre un sourire innocent à tel ou tel madrigal à la portée, les dents d'albâtre ou plutôt d'opale qu'azurerait leur transparence comme étrange dans son exquisité, — tantôt elle parlerait beaucoup et d'une volubilité :

Quasi-zézayante [47] *un peu*

avec des mignardises qui n'en sont plus à force de fleurer de candeur réelle moyennant une éducation approchant d'être parfaite et une instruction heureusement incomplète.

« Mais qu'elle se taise pour mon bonheur ou qu'elle parle pour ma joie, ses yeux !

« Gris, la prunelle coulant sans ruse aucune, je vous jure, et pourtant on dirait, quand elle me regarde, toujours un peu de côté, par timidité certainement, mais, sans doute aussi pour observer, inconsciemment, ou plutôt non, car avec ces vierges, que croire, que savoir, nous, les libertins ? ombrés de longs cils et surplombés d'assez épais sourcils qui, diable ! se rejoignent, on croirait jalousement.

« Et ses mains, que j'allais omettre. Ces mains que je rêve de baiser des mille et des centaines de mille fois, ses mains aux veines palpitantes aussi dans l'émotion de la conversation, ces mains :

> *Toutes petites, toutes belles !*
> . . . .
> *O ses mains, ses mains vénérées !* [48]

ses mains, ses mains qu'il me faut dans les miennes, à jamais !

« D'âme, de cœur, il y en a-t-il ? Oui, sans doute, — ou non ? Car avec ces vierges...! »

Ainsi allait mon imagination, au lendemain de ma première entrevue que d'ailleurs voici, très en abrégé, — elle et ses conséquences immédiates... et les autres.

v

Je ne m'attendais pas le moins du monde à l'entrée dans la petite chambre où venait de se réveiller mon futur beau-frère, le bon musicien de génie plus encore que de talent, Charles de Sivry, je ne m'attendais guère, en vérité, à l'entrée, après trois coups frappés à la porte, de sa sœur, ou plutôt de sa demi-sœur, elle étant enfant d'un second lit. Il était environ cinq heures du soir, moment auquel mon noctambule de camarade avait coutume de penser à se lever, et moi-même je me disposais, ensuite d'une conversation, si je ne me trompe, relative à quelque opérette en collaboration, à aller l'attendre au café du Delta tout voisin, pour l'apéritif, quand, ai-je dit, elle entra sans bruit, puis allait faire mine de se retirer quand Sivry lui dit ou à peu près :

« Reste donc, Monsieur est un poète, c'est Verlaine, tu sais bien.

— Oh ! j'aime beaucoup les poètes, Monsieur. » Telles furent les premières paroles de cette bouche de qui je devais entendre tant de oui, puis de non, sans préjudice de bien d'autres choses encore, bonnes, puis mauvaises!

Elle aimait beaucoup les poètes, du moins elle le disait. Que répondre à cela ? Rien évidemment. C'est ce que je fis, me contentant d'une inclinaison de tête reconnaissante vaguement.

Puis le discours s'engagea pour de bon par cette phrase, encore de politesse, mais moins banalement complimenteuse :

« Mon frère m'a souvent parlé de vous et même m'a fait lire de vos vers qui sont peut-être trop... forts pour moi, mais qui me plaisent tout de même bien. »

La pauvre enfant! Je vous crois que mes vers, les *Poèmes saturniens*, du Leconte de Lisle à ma manière, agrémenté de Baudelaire de ma façon, et les *Fêtes galantes*, très justiciables de leur intitulé, devaient lui sembler... durs à comprendre ou plutôt à deviner. Néanmoins, ce coup-ci, elle avait rompu décidément la glace et pour la première fois aussi je pus lui faire entendre cette mienne voix qui devait à son tour tant roucouler, puis vociférer à ses oreilles... toujours étonnées, car je puis dire ici, en toute impartialité calmée après plus de vingt ans, que la malheureuse ne m'aura jamais compris de sa triste bourgeoise de vie.

Et je lui répondis :

« Vous êtes trop bonne vraiment, — et, comme quelque chose de subit avait, cependant, lieu en moi, j'ajoutai : mais j'espère pouvoir faire bientôt des vers qui mériteront mieux l'honneur que vous voulez bien faire à ceux que vous connaissez de moi... »

Alors, après quelques banalités sur la pluie et le beau temps, je me retirai après avoir rappelé à Sivry notre rendez-vous au Delta et me retirai comme charmé, sur une poignée de main au camarade et une autre, douce au possible à... l'amie.

L'amie, oui; car quel nom donner à qui venait de m'inspirer tout à coup, tel un coup de... joie calme, ce rafraîchissement tout fleurant d'innocence et de simplicité? Et je ratiocinai tout en m'acheminant sans but vraiment, tandis que *ma bête* se dirigeait vers l'affreux breuvage vert. Ne serait-ce pas un hasard (je ne croyais plus en Dieu depuis belle lurette), un heureux, inespéré,

inespérable hasard qui me mettait cette douce fille sur le
chemin mauvais où je sentais bien que j'allais me perdre...
sans cet être, presque de raison, qui symbolisait à mes
yeux déjà flétris de toute sorte de vues pas bonnes, mais
perspicaces encore toutefois, mes yeux, cette chose
presque impalpable mais qu'on sait qui ne mûrira qu'en
la Femme désirable et désirable plutôt pour le cœur
et l'esprit qu'aux sens trop peu difficiles, eux, la Jeune
Fille dans la gloire rose de sa mystérieuse candeur.
Mystérieuse candeur, et inquiétante, mais d'une inquiétude charmante et qui est à la fausse, à la coupable sécurité du libertinage et de ses suppôts, mâles ou femelles,
la sécurité même, par l'effort incessant d'une bonne
conscience et d'une volonté, en outre, qui sait ce qu'elle
veut et peut.

...Ces belles considérations n'eurent naturellement
aucune sanction pratique immédiate quelconque. Toujours est-il, néanmoins, que, cette fin d'après-midi-là,
attablé devant des journaux illustrés qui furent et sont
toujours ma lecture favorite, et au grand estomirement
du bon Sivry, peu accoutumé à de pareils spectacles,
je ne bus pas d'absinthe.

L'absinthe devait, comme la « vertu qu'on quitte »,
prendre de dures revanches.

VI

Peu de temps après je partis avec ma mère pour chez
l'oncle dont il a été question, à la campagne, près d'Arras ;
là, dans le calme et la paix des champs, et un peu la
solitude, malgré quelques parties de pêche et de chasse
et de nombreux dîners dans de nombreux villages,
où nous avions des « parents », je m'ennuyais un peu.
L'ennui est parfois, sinon un très bon conseiller, du
moins, peut-être, un bon conseil. D'abord il apaise les
sens, tous, et Dieu ou plutôt le diable sait si les miens,
tous, avaient et ont encore, je le crains, vieille bête que
je suis ! besoin d'être apaisés ; puis sa fadeur [49], par
moments qui sont bons au milieu de tant de fichus
quarts d'heure, se fonce d'une après tout assez bonne
amertume, s'acidule de quelque esprit de critique, ou

pour mieux dire, de froide et, donc, rafraîchissante
clairvoyance qui fait du bien, en quelque sorte, même,
moralise en aiguisant fût-ce au prix d'une souffrance
dès lors digne d'un bon accueil...

Ma souffrance à moi, était, instinctivement, le besoin,
qui allait presque jusqu'au désir tant il se rendait aigu
par intervalles, de « changer de vie » comme dit l'amusante héroïne de Victor Hugo... Naturellement, je n'allais
pas sans avoir apporté de ma vie de Paris, boisson, filles,
toute cette bonne mauvaise odeur de vice et de désordre
qui persécutait les premiers Saints jusqu'au fin fond des
plus austères Thébaïdes, — et ce m'eût été, pensais-je,
ou plutôt éprouvais-je, un gros crève-cœur que de
rompre avec ce délice, que de ne plus connaître la
saveur des lèvres, des seins, de toute la chair, l'énervement, l'excitement des savantes et perverses et à jamais
en tout cas, ô oui! inoubliables caresses de tant de femmes
pour ne parler que de ce délice-là!

Ce délice! Et comme il est vrai, quant à ce qui me
concernait, ce mot, encore que je perçusse dès alors
la littérale horreur de ces amours et leur véritable et,
non plus bourgeoisement parlant, leur littérale crimi-
nalité! Les femmes de la catégorie à laquelle pouvaient
juste prétendre et ma foncière timidité et mon très
modeste porte-monnaie, m'enivraient, croiriez-vous cela ?
Je les avais dans le sang, ma peau cherchait la leur,
la leur, j'ai bien dit. Je m'imagine qu'une reine, qu'une
impératrice — ou tout bonnement une femme mariée,
une femme *honnête*, suivant le mot courant, se serait
offerte à moi, je l'eusse priée de me laisser tranquille... Et
voilà que pourtant une lassitude, comme qui dirait
aussi une plénitude commençait à me prendre, à m'en-
vahir; c'était un véritable « état d'âme » maladif, maladieux, dirais-je de préférence, quelque chose comme des
dispositions vagues encore mais bien symptomatiques à
l'indigestion morale...

J'en étais là psychologiquement, lorsqu'un beau
matin la fantaisie me prit d'aller en ville. Il y avait le
chemin de fer, mais je préférai prendre par la rivière
canalisée de Scarpe, célébrée dans les vers du grand
poète Desbordes-Valmore; c'est, sur des bords diversifiés,

tantôt céréales, avoines, blés, seigle, hivernages, tantôt
marais sans fin, quasiment sans fond, où dort le brochet,
où court l'anguille parmi les tiges de nénuphars et les
lances du glaïeul d'eau, à l'ombre généralement « des
noirs peupliers », des saules blancs et des grises hautes
herbes, un chemin véritablement charmant en ce pays
plutôt plat d'aspect aussi bien que de terrain. D'assez,
point trop nombreux villages aux bonnes auberges cré-
pies à la chaux, fenêtres aux rideaux

> *d'cotonnette*
> *A grands carreaux roug'brique et blancs...*

où patoise une hôtesse pour la plupart du temps plantu-
reusement rose et rousse non sans attrait le plus souvent,
sont riverains de droite et de gauche. En s'approchant
d'Arras on entre à Blangy, un peu *grande banlieue* où
va, l'été, s'ébattre la garnison de la ville, et célèbre, ce
gros bourg dans des arbres et des jardins, par le choix
qu'en fit pour ses réunions la société des Rosati, légèrement académique, et bachique discrètement, dont
firent partie, entre autres célébrités, les deux Robespierre
et Carnot l'aïeul. L'arrivée dans la ville même était particulièrement pittoresque (je dis *était*, car depuis ces
temps et pas depuis longtemps on a, paraît-il, démantelé
« cette place forte », comme la caractérise Monsieur
Perruchon). Près d'un demi-kilomètre avant de contour-
ner le rempart pour se répandre dans un grand bassin
appelé, pourquoi ? le rivage, la Scarpe se parait de toute
une végétation sous l'eau qui devenait fantastique, orientalement, mille-et-une-nuitamment belle quand le soleil
y pénétrait et qui par les jours de ciel terne, prenait un
sombre presque ou tout à fait inquiétant... Une forêt
noyée, avec des joies comme folles et des tristesses
jusqu'à des terreurs !...

Le jour dont je parle, j'allai dans à peu près tous les
cafés d'Arras qui sont nombreux, puis hantai quelques-
uns, huit ou dix au plus, des estaminets de ladite ex-capi-
tale de l'Artois, qui sont innombrables. Résultat : une
« cuite » qui vint s'achever dans une maison de femmes
et s'y éteindre dans des « flots de volupté »... à tant l'heure.

Je pris le train de minuit pour mon village et le lendemain je me réveillai avec un mal de tête et des nausées
morales et autres qui me parurent un châtiment, mais
un châtiment de quoi ?

VII

De quoi! Eh, bons dieux, de quoi donc en effet, sinon
du jeûne rompu, de ce salutaire ennui sottement plus
encore peut-être que coupablement jeté à tous les vents
de la ribote et de la vadrouille! Et le tout, pour en arriver
à quoi ? Même plus à l'entraînement d'autrefois —
il y avait *déjà* un *autrefois* dans mon cas présent, — même
plus à l'envie de recommencer que tout ivrogne ou tout
coureur a dans le fond, mais bien la pituite démoralisée,
mais bien le dégoût sans retour *ad vomitum !*...

Alors, sans transition, sans trop me douter de ce qu'il
allait faire, j'écrivis à Sivry une lettre sans nul doute
peu dans les règles, peu conforme au protocole d'ordre
privé qu'impose la civilisation dont nous jouissons, lui
demandant, tout bêtement..., la main de sa sœur.

La lettre écrite, je m'habillai en hâte et courus d'un trait
à la poste. Trop tôt. Le bureau n'était pas ouvert. Je
m'avisai que j'avais des timbres dans mon porte-monnaie,
et ce fut d'une main fébrile, mais en somme comme
résolue, que je jetai la lettre à la boîte. Après quoi, je
fis hâte vers la maison plus encore que tout à l'heure
vers la poste, comme fuyant un regret de la démarche
précipitée, regret qui ne me rattrapa point, et ce fut
d'un bon cœur léger et tout palpitant d'une chère fièvre
que, m'étant remis au lit, je dormis jusqu'à ce qu'on vînt
me réveiller à midi pour dîner.

Deux, trois jours se passèrent, mortels, éternels, au
bout desquels une lettre de Sivry m'arriva, m'apprenant que comme moi, il avait mis les pieds dans le plat,
que, stimulé par l'imprévu et la carrure tout plein gentille de ma missive, il avait communiqué celle-ci, à sa
sœur d'abord, puis à sa mère qui avait cru devoir en référer immédiatement à M. M..., son second mari. (Je par-
lerai peut-être en temps et lieu, de ces deux personnages

si dissemblables en tout et qui ont tant influé sur ma vie...) La bienheureuse lettre ajoutait qu'il y avait lieu d'espérer et m'engageait à rester encore quelque temps à la campagne, où il viendrait, si je voulais, me rejoindre dans quelques jours. Nous retournerions ensemble à Paris, où on verrait les choses de près et ferait tout le nécessaire.

C'était divin et ça commençait à ravir, mon idylle. Et c'est de ce moment que je conçus le plan, si le mot ne vous semble pas trop ambitieux pour un si mince ouvrage, de cette *Bonne Chanson* qui se trouve, dans le bagage assez volumineux de mes vers, ce que je préférerais comme sincère par excellence et si aimablement, si doucement, si purement pensé, si simplement écrit :

> *Le soleil du matin doucement chauffe et dore*
> *Les seigles et les blés tout humides encore*
> *Et l'azur a gardé sa fraîcheur de la nuit...*

Ainsi débute ce mince volume qui devait paraître un an après, juste au moment de la guerre et dont Victor Hugo me disait à son retour en France : « C'est une fleur dans un obus. » Je ne sais si c'est bien vrai, mais toujours est-il que j'ai, dès l'origine, gardé une prédilection pour ce pauvre petit recueil où tout un cœur purifié s'est mis...

Sivry tint sa promesse et j'eus le plaisir de le recevoir, à la petite gare distante d'un kilomètre à peine de Fampoux. Il m'apportait de bonnes nouvelles, hélas! assombries par l'annonce d'un très prochain départ pour un séjour, d'à peu près deux mois encore, en Normandie de toute sa famille, M. et Mme M..., leur fille aînée, celle dont il est question et une autre fille, enfant de dix ans. Mais il insistait sur le bon accueil fait à ma demande par la mère et la fille. Quant au père, il comptait peu, bien qu'encombrant au possible, le pauvre homme, mort depuis, de qui Dieu ait l'âme... importune! Nous passâmes, Sivry et moi, une agréable semaine sous le modeste toit avunculaire. Le dimanche qui prit place, Sivry tint l'harmonium à la grand-messe et étonna fort, si même il ne scandalisa pas quelque peu les oreilles

rustiques de l'auditoire par des offertoires et des marches
de sortie empruntées aux opéras de Wagner. Mais tout
a une fin, Sivry devait rentrer à Paris, et moi, mon bureau
me réclamait : nous partîmes, ma mère et nous, pour cet
éternel Paris.

Ma mère, qui avait donné son assentiment à mon projet, tout en élevant quelques réserves sur l'impromptu
d'une résolution si importante, était heureuse, au fond,
de me voir, comme elle disait, devenir enfin sérieux.
Car je ne buvais plus, du moins à me soûler. J'étais
assidu à mon bureau et je rentrais de bonne heure le
soir. Même il m'arrivait de plus en plus souvent de
rester à la maison à jouer des parties de cartes que je
savais qui l'amusaient; d'autres fois je l'accompagnais
dans des soirées bourgeoises où je ne brillai guère par
l'éclat d'une conversation qui eût d'ailleurs été, je le
crains, peu goûtée dans ces milieux joliment vieillots,
mais pas trop surannés pour bien faire. Une tasse de
thé et des petits fours complétaient ces fêtes et minuit
au plus tard nous voyait de retour au logis dans cette
rue de l'Écluse, en ces Batignolles où nous habitions
depuis, ma foi, notre arrivée à Paris, depuis 1851.

C'était charmant et le temps s'écoulait, bien lent
encore toutefois. Il est vrai que je composais chaque
jour mon volume en petites pièces que Sivry faisait par-
venir à sa sœur... Mais n'importe, c'était l'absence!

VIII

> *O l'absence, le moins clément de tous les maux !*
> *Se consoler avec des phrases et des mots,*
> *Puiser dans l'infini morose des pensées*
> *De quoi vous rafraîchir, espérances lassées,*
> *Et n'en rien remonter que de fade et d'amer !...*

Ainsi ratiocinait ma mélancolie naissante d'être loin
de « Celle que j'aimais », car décidément je l'aimais,
surtout depuis qu'elle m'avait en quelque sorte agréé
par écrit, en cachette... de son père *seul*, — mélancolie
qui finit plus tard par tourner, pour mon propre dam

et ce qu'il fallait qu'elle ignorât et qu'elle ignora jusqu'à la fin d'une interminable « cour » de tout près d'un an, en une pénible, agaçante attente que tout allait aggraver, on le verra plus loin, jusqu'à ce que je devinsse, littéralement,

Impatient des mois, furieux des semaines!

Mais, pour l'instant, je n'avais guère à ne me plaindre que

Du doux mal qu'on souffre en aimant.

De petits billets échangés par l'intermédiaire du bon Sivry, missives innocentes de la part de ma fiancée, car je la considérais, dûment déjà, comme telle, les plus délicates et discrètes possibles, de ma part, entretenaient la « flamme » délicieusement insinuante qui par la suite devait, après des « querelles énormes d'aigles rouges [50] », s'éteindre dans le fuligineux d'un procès en séparation, puis dans le fangeux d'un divorce. Mais n'anticipons pas sur tant d'horreurs!

Pour le moment donc, j'étais quasiment heureux : on m'y disait, dans cette jolie correspondance tracée d'une main peut-être tremblante, écriture enfantine et gentiment maladroite, style de la meilleure simplicité, tout le contraire d'un basbleuisme fût-ce infinitésimal, et plutôt lâché dans l'ignorance bénie de ce que peut bien être une phrase *bien* construite. Même de jolies fautes de français, même d'adorables et rares, aussi bien, erreurs d'orthographe, mettaient un charme de plus dans ce courrier presque quotidien qui me tint durant deux mois pas trop, trop longs en somme. Mes réponses s'y faisaient de plus en plus, non pas pressantes, justes dieux! mais plus cordiales, plus éprises ; elles m'étaient de véritables joies presque déjà sensuelles, en les écrivant. Oui, je frémissais, combien voluptueusement! Un frisson comme d'une fièvre amoureuse « pour de bon » me faisait des fêtes encore chastes peut-être, mais non sans une pointe charnelle, l'aiguillon, quoi!

D'ailleurs une dernière lettre de

> *... La main à ce point petite*
> *Qu'un oiseau-mouche n'y tiendrait...*

m'annonçait un très prochain retour à Paris. Des recommandations de « sagesse », de patience, s'y mêlaient plai-
samment à de naïfs calculs en vue de nous prouver
à tous deux que tout était pour le mieux dans notre affaire,
rapport d'âge, de goûts, d'éducation, de bonne bourgeoisie, enfin des choses d'argent !... Elle me convoquait,
avec un petit tour romanesque, dans son autrement
sensé et très sensé langage, à des efforts vers la chose de
bien mériter notre futur commun bonheur. Elle citait
même l'exemple, qu'elle me proposait, du prince Galaor
et de ses travaux pour sa belle...

Le bienheureux jour tant attendu en attendant (combien donc plus !) l'autre, encore dans un avenir désespé-
rément indéterminé, et Dieu sait s'il était destiné à en
subir de ces atermoiements, et quels ! ce jour-là, ce
dernier jour-là ! le jour, disais-je, du retour, du revoir,
le jour dont j'avais écrit ces deux vers que j'avais en-
voyés, entre quelques autres, à qui de droit, la veille
ou la surveille,

> *Où, seul rêve et seule pensée,*
> *Me reviendra la fiancée...*

ce jour de liesse arriva, enfin !

L'entrevue ne devait avoir lieu que le soir, après dîner.
Qu'il me parut long, bien que bon, ce divin et infernal
jour-là ! Aussi, quand s'approcha l'heure exquise, quel
soin, pour passer le temps d'une manière du moins
conforme à mon train de pensée, apportai-je et n'apportai-je pas, moi d'ordinaire expéditif en ces matières, à
ma toilette ! Que de fois dut ma pauvre bonne mère
toute souriante, peut-être, et, quand j'y pense, sans
doute inquiète, troublée un peu, de mes expansions,
faire et refaire le nœud de ma cravate alors La Vallière
(depuis ?), brosser et rebrosser redingote et pardessus,
lisser et relisser le haut-de-forme, etc. Et de quel pas,
léger et... sérieux (j'avais volontairement oublié mon
monocle carré... en verre de carreau. Cet attribut me

semblait, pour la première fois, *inutile*... et même un tantinet ridicule), de quelle allure comme ailée, gravement, n'enfilai-je pas le sans fin boulevard de Clichy et celui non moins interminable Rochechouart, n'escaladai-je pas l'escarpement, puis ne dégringolai-je pas la pente de la rue Ramey pour finalement gravir le doux calvaire dénommé en langue vulgaire rue Nicolet!

On m'introduisit au salon où Mme M... descendit bientôt, m'encourageant d'une poignée de main vraiment cordiale, et bientôt suivie de son mari avec qui un salut quasiment cérémonieux fut échangé. De vagues propos s'engagèrent... avait-on fait un bon voyage? où en étaient les céréales là-bas? et ainsi de suite, — quand entra la demoiselle vue la première fois

En robe grise et verte avec des ruches.

Par un phénomène qui s'explique, je ne me souviens plus de son costume de ce soir-là. J'étais tout à la face et à la figure en général d'elle qui me parut la même, charmante, mignonne... Elle s'assit, après que je lui eus doucement serré ou plutôt pressé les fins doigts de sa main droite, dans le cercle que nous formions aux environs d'une grande table-guéridon chargée d'albums et d'un vase de la Chine aux fleurs qui sentait des meilleurs.

Évidemment il y avait de la timidité, beaucoup de timidité dans son fait et dans son attitude, et de l'émotion évidente; et pour ma part, je crois bien qu'à cet instant je ne brillai pas non plus par trop d'aplomb. Ravissante sensation, prologue délicat, comme surnaturel, aux suprêmes rapprochements. Elle me parla, je lui répondis, le tout banal, innoçâtre, si j'ose ainsi barbarifier, mais charmant tout de même et.... précisément!

Je me retirai au bout d'une petite heure, après permission demandée et obtenue d'une visite pour le lendemain, — absolument conquis cette fois.

IX

De ce moment et tous les soirs, à très peu d'exception près, durant les bons trois quarts d'une année, la même promenade, par quelque temps qu'il fît, m'amenait en ce Montmartre de fiançailles et me ramenait vers ces Batignolles depuis si longtemps parentales. L'affection mutuelle, je crois — malgré tout l'avenir qui devait devenir ce triste passé d'à présent, — pouvoir à juste titre m'exprimer ainsi, le réciproque goût s'en accroissait d'autant. Maintenant l'intimité s'établissait entre nos familles. J'allais tous les dimanches dîner chez les M... où ma mère était souvent invitée; la Bonne Chanson « battait son plein », métaphoriquement et littéralement, et le cher petit bouquin s'augmentait de quelques vers chaque jour. Beaucoup d'entre ces presque improvisations furent supprimées lors de la remise à Alphonse Lemerre, déjà LE célèbre éditeur de toujours le passage Choiseul, du manuscrit définitif, et je le et les regrette, en vérité, aujourd'hui que jugeant les choses sinon beaucoup plus ce qu'on appelle « froidement » dans l'espèce, du moins, sous le rapport littéraire tout au moins, de plus loin, de plus haut, si vous voulez bien, mieux, quoi! Ces pièces sacrifiées valaient très certainement les autres et j'en suis aujourd'hui à me demander pourquoi cet ostracisme... puritain peut-être, car autant que je puis me rappeler, non pas les vers que j'ai totalement oublié, mais l'*esprit* d'eux, je dois avouer qu'il me semble que c'est à cause de leur... vivacité... ô si relative que ce n'est rien que de le dire, qu'ils furent, en ces miens temps d'un tout-à-la-joie des délicatesses non même pas encore conjugales, brutalement et pudiquement, (au fond c'est la même chose et la pudeur, fruit du péché, en a gardé la saveur âcre)· rayés, comme on dit, de mes papiers.

Pauvres innocentes prémices intellectuelles de ce que dans des mois et des mois encore me donneraient, me prodigueraient, moyennant telle et telle cérémonie ridicule ou méconnue le Jour céleste et sa suite... immédiate. De quelle sévérité injuste osait donc vous frapper mon scrupule de « futur », scrupule tout neuf, tout

étonné d'être, en ce moi depuis longtemps désaccou-
tumé de ces vénérables choses-là... Hélas! ne devais-je
pas — même après un long intervalle de sincère repentir aux pieds d'un Dieu en qui je crois encore, mais si
mal aujourd'hui, — chanter d'autres *Chansons* [51] desquelles, du moins, la moindre hypocrisie, disons mieux,
la moindre retenue est, on croirait, *soigneusement* bannie
et à propos desquelles je n'ai nul repentir mais qui,
bien au contraire, bercent pour les réveiller plus ardents,
plus fauves, mes désirs tout, ou presque, à la chair
maintenant!...

Le temps passait, bien lentement au gré de mon
impatience vers un bonheur définitif, pensais-je de toutes
les forces de mon sentiment et de ma raison. Après les
mois de pluie et de neige où patauger non sans un
charme comme aventurier (on fait ce qu'on peut : d'ailleurs l'Aventure m'attendait, infinie!) vinrent Avril et les
primes jours de Mai, frisquets et coquets, qui cam-
braient sous leur piquante caresse mon buste alors
svelte et tendaient mes jarrets infatigables en ces temps-
là, surtout pour de tels pèlerinages que ceux vers le
petit hôtel de la rue Nicolet.

Lorsque arriva l'été, le lourd été de 1870 — là en
est parvenu mon récit — avec ses soirées interminables
et la fréquence de ses orages, il commença, lors de mes
visites d'après-dîner, à être enfin question de dates et
le milieu de juin fut dès son tout commencement fixé
pour l'heureuse cérémonie.

> *Donc ce sera par un clair jour d'été.*
> *Le grand soleil, complice de ma joie,*
> *Fera parmi le satin et la soie*
> *Plus belle encor votre chère beauté.*
>
> . . . .
>
> *Et quand le soir viendra, l'air sera doux*
> *Qui se jouera, caressant, dans vos voiles*
> *Et les regards paisibles des étoiles*
> *Bienveillamment souriront aux époux.*

Mais il me semble de mise puisque précisément me
voici en train de citations miennes, de bien, avant de

me plonger dans toutes les profondeurs de mon étrange
vie privée, préciser ma situation littéraire à ce juste
moment. Les *Poèmes saturniens*, contemporains du *Reli-
quaire* (les deux recueils parurent le même jour en 1866),
avaient eu, comme d'ailleurs, le livre de mon cher ami
François Coppée, une fortune diverse : pas mal de
revues et de journaux, mortes et morts depuis, leur
distribuèrent, quelques-uns à profusion, l'éloge incom-
pétent (me semblait-il alors et me paraît-il encore) ou
le blâme sans discernement ni grande bonne foi plutôt.
D'autres, par l'organe de gens sérieux, Roqueplan,
Yriarte et *tutti quanti* nous encouragèrent vraiment.
Sainte-Beuve, par exemple, prit la peine de m'écrire à
plusieurs reprises minutieusement, preuve qu'il s'intéressait, et dans une visite que je lui rendis en compagnie
de Coppée, fut bien intéressant. Je le vois encore, avec
sa tête d'où l'enbonpoint de l'âge avait chassé la laideur initiale; chauve, rasé, aux petits yeux un peu à
la chinoise, au rictus fin encore plus que malin, quoique
bien malin déjà. Calotté de noir velours, tout de flanelle
blanche habillé, en raison de rhumatismes (hélas! je
devais connaître cela par la suite), il avait l'air d'un
pape hétéroclite dans son immense fauteuil. Avec cela
une réelle très latente mélancolie de séminariste plutôt
janséniste et d'un amoureux rétrospectif et plein de
souvenirs soigneusement cachés... C'était à mes yeux,
plutôt encore l'homme de *Volupté* que l'écrivain, si
savoureux encore, mais non sans des dessous bien
étranges, des derniers *Lundis* et je me prenais, en contem-
plant cette figure mi-voltairienne, mi-cléricale et par-
dessus tout, et en dépit de tout, poétique à sa manière
bien sienne, intime et pénétrante entre toutes, à me
redire mentalement, à la face de celui qui les avait faits,
ces vers « libres » attribués à un petit garçon dans l'extase d'un prompt destin d'exilé deux fois et par la
politique d'un père et par sa propre chancelante pauvre
santé.

> *Mon Dieu, rendez-nous la mer*
> *Et la montagne Saint-Pierre*

> *Et notre petit jardin*
> *Et grand'maman le jasmin.*

Il parlait d'une voix dont l'intonation m'échappe
aujourd'hui, mais autant qu'il pourrait m'en souvenir
de si loin, après une seule audition, notez-le bien, claire
plutôt que haute, mesurée, pesée, plutôt que lente positivement. Il nous dit des choses charmantes dans une
langue courante avec du pittoresque, tel un ruisseau
sur des herbes et des cailloux, des souvenirs sans trop
d'anecdotes. Il parlait de Victor Hugo avec une réserve
admirative que l'auteur des *Châtiments* plus que celui
des *Rayons et les ombres* ne professait guère à l'égard
de celui des *Consolations*, comme je pouvais dès lors et
pus depuis m'en convaincre dans maintes conversations
tenues entre le grand homme et ce moi chétif...

Quant à nous et à nos débuts, il nous félicita gentiment, point trop paternellement, plutôt avunculaire-
ment (le mot n'est pas de moi). Ses critiques bienveillantes s'exerçaient de préférence sur mon abus des
grands mots en K et en Y et en Ç, vestige de lectures
trop juvénilement convaincues de Leconte de Lisle.
Pourtant, en dépit des Tchandra et des Çurya qui s'y
trouvaient de trop à son avis, et au mien... d'aujour-
d'hui, il aimait la pièce Çavitry :

> *Ainsi que Çavitry faisons-nous impassibles,*
> *Mais, comme elle, dans l'âme ayons un haut dessein!*

L'entretien ayant dérivé légèrement vers la vie privée
comment pouvait-il en être autrement avec Joseph
(Delorme ?) et comme je lui parlais de mes projets de
mariage, sans enthousiasme ni, je le crois, sans causti-
cité, il « conclut » par ces mots — ou ce mot :

« C'est à voir, c'est à voir. »

X

J'ai, dans divers livres où je parle un peu de tout et
de tous, éparpillé de suffisants détails à propos du

Parnasse Contemporain, de son bel effort, et des succès
finals ainsi que des chers combattants de qui la plupart
sont demeurés mes bons amis toujours sur la brèche
conquise et prêts aux retours imprévus d'un ennemi
multiforme, mauvais goût, platitude ou extravagance.
Inutile donc de revenir sur ces temps héroïques, mais
je le répète, il est bon de préciser ma situation parmi
mes camarades défenseurs, à mes côtés, du même drapeau que le mien.

Nous avions presque tous forcé la notoriété, et quelques-uns déjà la gloire : Coppée avec ses *Intimités*
parues en même temps que mes *Fêtes galantes*, surtout
son *Passant* qui pour la première fois fit entendre sur
les planches la langue renouvelée que nous apportions,
Sully Prudhomme, sévère et doux, marqué dès ces
jours reculés du bon signe vraiment et dûment académique.

Les autres soutenaient dignement la lutte dans la
plaine, Dierx et ses *Lèvres closes*, succédant, bien plus
parfaites encore et qui marquèrent magnifiquement son
apogée, à des *Poèmes et poésies* qui avaient promis et
tenu; Valade et Mérat, frères séparés, non désunis, après
avoir donné, dans un duo printanier, *Avril*, *Mai*, *Juin*,
chacun sa note, chantant l'un ses *Chimères*, l'Idéal et
son *Idole*, la Femme, l'autre flûtant *A mi-côte*, de délicieuses et parfois mieux que profondément mélanco-
liques églogues; Heredia avec ses sonnets qui l'ont fait
sans égal possible dans cette forme qu'il préfère, tout
en maniant l'épopée superbement encore; enfin, Mendès, exubérant, enthousiaste, mais déjà sachant domi-
ner, gouverner sa forme et sa pensée et certes alors,
par son esprit séduisant mais impérieux de propagande,
quelque chose comme le maître, tout en restant leur
bon et fraternel camarade, de ces jeunes esprits eux-
mêmes exubérants et enthousiastes!

On se réunissait chez Leconte de Lisle le samedi,
chez Banville le jeudi, en des soirées toutes à des conversations d'art et de poésie que l'esprit caustique du premier pimentait de « truculente et portenteuse » sorte, et
que salait combien délicatement l'ironie toute plaisante
de l'autre maître. Plusieurs d'entre nous fréquentaient

chez l'admirable Nina [52] de qui j'ai parlé de-ci de-là, insuffisamment : nature d'artiste que son feu dévora prématurément. Cros, Villiers de L'Isle-Adam, deux génies, tôt en proie à la fatalité de leur glorieuse supériorité sur même l'élite, comptèrent parmi les assidus de ces nuits toutes retentissantes de poésie et de musique.

Je cessai presque, dès mon mariage à peu près assuré, de voir beaucoup mes pourtant si chers compagnons. Tout mon temps, comme tout mon cœur et la plus grande part de mon esprit, étaient à Montmartre et à mes délicieuses visites du soir...

Un soir que j'arrivai, comme toujours joyeux et, dans la poche, pour la glisser comme en catimini ès mains de qui de droit, quelque piécette de vers faite au bureau, entre deux classements de documents administratifs auxquels je m'intéressais moins qu'aux mouches qui volaient, symboles fugitifs

De la rime non attrapée [53]

et, aussi, de la raison qui ne me revenait guère qu'en la présence réelle de celle que je voyais partout et que j'ai tant aimée et si amèrement regrettée, il n'y a pas encore très longtemps, quelques pauvres, désolées, misérables années, tout au plus, solitaires dans la dissipation, veuves parmi des filles et des filles encore, moroses en dépit des « fêtes » de la boisson inépuisable et de la chair goulue!... Un beau soir donc que j'arrivai, joyeux comme de coutume et même plus, puisque je venais de faire tout à nos mairies et églises respectives pour, dès le lendemain, la publication de nos bans civils et religieux, je fus accueilli de la bonne par ces paroles murmurées : « Mademoiselle Mathilde est très indisposée. Je crois que vous ne pourrez pas la voir aujourd'hui. » J'entrai et m'informai auprès du père qui me tint à peu près le même langage, et monta s'informer auprès de la mère qui me cria du haut de l'escalier : « Mais oui, venez donc. Votre visite lui fera du bien. »

C'était la première fois que je pénétrais dans la petite chambre toute blanche et bleue où se trouvait alitée ma fiancée. Je remarquai dès avant tout une photographie de moi disposée dans le coquillage d'un bénitier sur le mur et que je lui avais envoyée durant son séjour à la campagne, — et je fus infiniment touché; mais des larmes eurent bien de la peine à ne pas me monter aux yeux quand mon regard se fut porté sur la malade et que ma main eut serré sa petite main brûlante; la jolie face si mignonne, si rosement blanche, elle était toute tachetée de rouge-violacé et un commencement d'enflure tuméfiait les joues en sueur. La bouche néanmoins souriait, pâlotte, hélas! et les yeux, les vraiment et sincèrement beaux yeux qu'un éclat de fièvre aiguisait en ce moment me disaient des choses qu'exprimait à peine la voie quasiment éteinte.

« Ce ne sera rien. Ne craignez rien. A propos, c'est pour demain les publications ? Oui ? Oh tant mieux! Je suis un peu fatiguée, le docteur m'a dit d'essayer de dormir, je n'ai pas pu de toute la journée, mais à présent que je vous ai vu et parlé, je suis si contente que je vais m'assoupir en pensant à vous. A demain, sans faute, surtout! »

Le lendemain était un Dimanche. J'étais libre toute la journée et toute la soirée. En me reconduisant, le père me confia qu'il craignait que ce ne fût la petite vérole. Les gens de mon âge se souviennent que cette épidémie sévissait dès lors à Paris et devait persister jusqu'après la Guerre et la Commune. On juge de mon inquiétude et de mon empressement, dès mon premier déjeuner, après avoir prévenu ma mère que je ne rentrerais sans doute que pour dîner, invité à déjeuner en ville, lui disais-je pour ne pas l'alarmer inutilement, à me rendre rue Nicolet, pour avoir des nouvelles.

La petite vérole s'était manifestement déclarée et du délire commençait.

J'eus toutes les peines du monde à cette fois monter à la chambre de la malade, et cette fois encore ce fut la mère — digne femme et grand cœur à qui tout mon culte est dédié! — qui m'introduisit. Le père protestait : d'abord il ne fallait pas ouvrir la porte si souvent, et puis c'était contagieux et...

Je me moquais pas mal de cette objection, par exemple! mais elle était formelle et quand, avec les autres, plus sérieuses, elles, elle fut apaisée par les infinies précautions prises pour me permettre, sur la pointe du pied, sous une portière épaisse à peine relevée d'une main tremblante de me tenir au seuil de la chambre, ce me fut un des instants les plus mémorables de ma vie. Mais avec quelque prudence que se fût opérée ma si discrète demi-intrusion, la malade s'en rendit compte et d'une voix si faible, si faible, qu'il fallait en vérité toute l'intuition d'un père et d'une mère et d'un amoureux pour la distinctement deviner plus encore que la percevoir, dit :

« Paul, entrez donc et n'ayez pas peur. Je sais que je suis très laide en ce moment, car je devine bien quelle maladie j'ai. Mais soyez tranquille, je ferai tout ce qu'on m'ordonnera — et *je ne me gratterai pas*. Mais il paraît que ça se gagne et je ne veux plus que vous m'approchiez... »

Comme je protestais gentiment et de tout un cœur si convaincu, contre la sévérité par trop affectueuse de cet ordre, elle ajouta dans un sourire charmant, faisant allusion à notre correspondance de naguère : « C'est la dernière épreuve du prince Galaor » et conclut : « Soyez bien sage et je guérirai bientôt, tout exprès pour vous. Seulement venez prendre tous les jours de mes nouvelles... et continuez à me faire des vers. Vous voyez, d'ailleurs, je vous ai là toujours à portée de moi. »

Et elle me désignait la photographie dont il a été question.

Je me retirai sur un signe des parents. L'accès de lucidité avait cessé et tout en refermant cautieusement la porte, j'entendis la faible voix chantonner et comme vagir...

A ma douleur très réelle et, comme toute très réelle douleur morale ou physique, très chaste, se mêlait, dois-je l'avouer, une manière de vilain désappointement que je me blâmais en rougissant presque, si j'ose ainsi dire, mentalement de ressentir, une déconvenue comme qui dirait charnelle. Alors voilà mon mariage remis aux calendes grecques! C'était bien la peine de tant s'abstenir, de tant jeûner... et j'étais comme qui dirait honteux de trouver le nom à donner à l'abstinence, au jeûne impliqués... Et j'étais à part moi-même comme quelqu'un à qui, excusez l'expression vulgaire pour caractériser un sentiment vulgaire, on aurait promis plus de beurre que de pain et à qui il ne reviendrait ni pain ni beurre.

Mais ce grossier chagrin, plutôt animal, pour tout dire, passa vite et ne tarda pas à faire place à la trop légitime inquiétude sur l'issue de la maladie et à la

fade et amère [54]

angoisse de l'*absence* à nouveau, et quelle, cette fois, peut-être à un prélude à... quoi, grand Dieu! Ah, si j'avais eu la foi, même la foi affaiblie que j'ai le bonheur médiocre, hélas, de posséder encore, comme j'eusse prié, comme j'eusse formulé des vœux auprès des chapelles spéciales, dans les sanctuaires parisiens recommandés!

Le miracle, pour n'avoir pas été demandé, eut lieu tout de même et vers le milieu du mois, la convalescence commençât, si bien qu'après une dizaine de jours de plusieurs visites par jour (dès le petit matin, au retour du bureau chez moi en passant par le plus long chemin et enfin le soir pour des renseignements de meilleurs en meilleurs) je pus reprendre « ma cour » presque où j'en étais resté, en apparence, mais en réalité bien plus avant dans le cher cœur... et dans le mien. Comme elle me l'avait promis, elle avait été « sage », ne s'était pas grattée, admirablement soignée aussi bien par mes amis les docteurs Antoine Cros, le frère du poète et du statuaire, et Peauthier, jeune homme tout dévouement, tout science aussi, qui devait périr misérablement d'une fatale erreur, lors de la terrible répression de mai 1871. Et puis ses parents l'avaient veillée à tour de rôle, prenant soin, dès qu'elle se plaignait de démangeaisons insupportables, de lui lotionner le visage avec du cold-cream et de l'eau de guimauve. De sorte qu'elle m'apparut la même qu'auparavant, sauf qu'elle gardait quelque langueur dans la démarche et un teint un peu plus animé sur un visage légèrement amaigri, qui n'étaient pas, somme toute, sans leur agrément non plus.

On avait décidé que le mariage serait remis à la première quinzaine de juillet, ce, vers mai, — quand, la
dernière semaine de juin, un peu avant la date tant
espérée — il fallut différer encore. La mère venait d'être
prise à son tour de maux de reins et de tête trop symptomatiques. L'affreuse épidémie l'avait prise et elle dut
subir le même sévère traitement que sa fille.

J'aimais beaucoup Mme M..., et je le lui ai toujours
témoigné tant de son vivant qu'après sa mort. On
peut en juger par cette pièce de vers inédite que je lui
ai consacrée à l'occasion du dernier 2 novembre :

A Madame Marie M...

Vous fûtes douce et bonne en nos tristes tempêtes,
L'esprit et la raison parmi nos fureurs bêtes,
Et si l'on vous eût crue au temps qu'il le fallait
On se fût épargné tant de chagrin plus laid
Encor que douloureux, puis lorsque sonna l'heure
Définitive où d'espérer n'était qu'un leurre
Dorénavant, du moins vous fîtes pour le mieux
Quant à tel modus vivendi moins odieux
Que cette guerre sourde ou cette paix armée
Qui succéda l'affreux conflit.
                                Soyez aimée
Et vénérée, ô morte inopportunément!
Qui sait? Vous là, précise et sûre au vrai moment,
Votre volonté, toute indulgence et sagesse,
Eût prévalu sans doute et nous eût fait largesse
D'un pardon mutuel obtenu par son soin :
Tout serait pour le mieux avec Dieu pour témoin ;
Mais Dieu n'a pas voulu, qui vous a donc reprise
Pourquoi ?
                Dormez, ô vous, sous votre pierre grise,
Qui fîtes le devoir et ne cédâtes pas.
Dormez par ce novembre où ne peuvent mes pas
Malades vous allez porter quelque couronne :
Mais voici ma pensée, ô vous douce, ô vous bonne!

C'était une âme charmante, artiste d'instinct et de
talent, musicienne excellente et de gout exquis qu'elle

était, et intelligente, et dévouée à qui elle aimait, on le verra plus tard.

Les soins les plus empressés lui furent donnés dès les débuts, les mêmes médecins qui avaient guéri la fille, menèrent la mère à mieux, et si je l'avais pu, triste incrédule que j'étais, je le répète, quelles prières aussi eussé-je poussées vers un ciel offensé d'ores et déjà et plus tard donc! et que je ne devais invoquer pour tant de besoins qu'après des leçons sévères, dois-je le craindre ? en vain.

Encore cette fois, le miracle non invoqué se réalisa : Mme M... guérit rapidement.

Mais mon mariage se trouvait à nouveau retardé.

XI

Avec un tact merveilleux et une juste estime pour ce qu'elle sentait être ma délicatesse, Mme M..., se doutant bien du côté déception qui sourdait dans mon successif chagrin de voir toujours (aux amoureux dans la peine « encore » n'est-ce pas « toujours » en fin de compte et plus ou moins ?) ne s'avisa-t-elle pas — dois-je me servir du mot pour bien spécifier une chose aussi subtilement aimable ? — d'un expédient peut-être sans égal et probablement sans précédent dans son chaste sous-entendu! Elle feignit d'être moins convalescente et sut persuader à son mari de lui continuer son aide de garde-malade intermittent, en même temps que le convaincre — à juste titre, je le jure — de mon parfait respect pour la jeune fille qui devait bientôt devenir ma passionnément bien-aimée femme. Et c'était, principalement et *comme* de préférence, pendant mes visites qu'il se trouvait très vraisemblable qu'elle eût le plus besoin de la présence de son mari...

De sorte que mes entrevues avec Mathilde, je lui donnai déjà ce nom « carlovingien », et, depuis que je lui avais, en hésitant un peu, en tremblant presque, fait lire en le lui déposant entre les mains et en me retirant bien vite, bien vite, un madrigal dont l'*in cauda venenum* était

Que je vous aime, que je t'aime!

je la tutoyais, quand la chance nous laissait tête-à-tête,
et elle avait fini par me le rendre, de sorte, disais-je,
que nos entrevues se passaient à de très rares exceptions
près dans un petit salon au rez-de-chaussée, tout étroit,
tout intime, très meublé, touffu, trop en quelque sorte
rococo avec un lustre mignard pendant d'un plafond
d'indienne en étoile, mais sauvé de l'horreur de même
paraître un boudoir en l'espèce, par ledit plafond très
haut et une fenêtre des plus larges qui lui restituaient
un caractère honnête et familial qu'il fallait pour bien
faire ici.

De sorte aussi que ces entrevues qui, chez d'autres,
eussent pu dégénérer et se corrompre, avec nous
demeuraient innocentes, tout en restant de plus en plus
passionnées ou plutôt passionnantes. C'étaient de nos deux
parts des projets d'ameublement, d'établissement, de
ménage. Quelle sorte d'appartement préférait-elle, bas
avec peu de marches à gravir ou haut et clair ? Parbleu,
c'était le clair qu'elle aimait sans contestation possible.
Fi de l'entresol noir et même du sombre premier étage !...
Et puis, car la petite épouse, « économe » et « prévoyante »
faisait de temps à autre son apparition si gentiment
falote, ce serait, CE SERA meilleur marché, et « par le
temps qui court », le bon marché, quand il ne lui est
pas trop couru sus, ne peut se trouver que trop de mise,
etc., un tas d'et caetera amusants comme tout. La question
d'ameublement, surtout, nous intéressait. Une fois il
fut question de lits. Elle en voulait deux, un de palis-
sandre, pour moi, sévère, tout simple, de bon goût,
etc., un, pour elle, en capitons de perse rose ou bleue.
Tous les deux de milieu. Le mien dans un cabinet de
travail, à gravures XVIIIᵉ, à bronzes japonais ; le sien dans
un beau fouillis de consoles en bois de rose, Boules
du temps empire, psychés, que sais-je ! La seule chose
que je retenais de tout cet exquis bafouillage c'est que,
suivant elle dans notre ménage il y aurait deux lits, et
j'eusse, pour un rien, protesté contre cette hérésie (j'ai
toujours été l'ennemi des chambres nuptiales conçues
ainsi qu'on les rêve dans des fantasmagories polissonnes

à la Crébillon fils, non moins qu'à celles funèbrement
formalistes des anciennes cours d'Espagne) si ne m'était
revenu en mémoire, la sainte ignorance de ma, si puéri-
lement bien, zézayante interlocutrice.

Tout, sauf le *mieux*, qui, au cas présent, eût bien été
le pire, allait donc bien : elle s'y mettant de son tout
pauvre cher cœur virginal, moi apportant ce que je
pouvais de discrétion affectueuse et d'en quelque sorte
amoureuse vénération. Je dis tout ce que je pouvais,
car il m'arrivait parfois, vers la fin particulièrement, de
me sentir moi-même comme non plus capable de me
comporter bienséamment et... sciemment. Dans ces cas
je quittais brusquement sous un prétexte bon ou mauvais avec une rapidité qui étonnait alors et dont on me
sut gré ensuite. Un jour que ce m'était arrivé, au lieu
du baiser sur le front habituel depuis quelques soirées,
mes lèvres allèrent, ô sans trop de plus de prémédita-
tion que cela, sur ses lèvres qui, dans leur candeur
suprême, me rendirent joyeusement mon baiser comme
furtif.

Une fois, c'était, je pense bien, deux soirs après ce
soir-là, elle parla layettes, langes, berceaux et noms de
baptême selon le sexe... J'étais ravi mais un peu étonné.
De quoi diable allait-elle s'aviser là ? Et des hum! hum!
mentaux commençaient à me travailler méchamment,
quand, elle, me dit, en forme de conclusion formelle :
« Car nous aurons un enfant. » — A quoi je répondis
en toute naïveté presque déjà conjugale : « J'espère
bien qu'oui et même plusieurs. » Elle alors, empruntant
sans, certes, s'en douter, le si drôle vers de la célèbre
apostrophe de cet amusant Piron : « Il n'y a pas de peut-
être, dit-elle imperturbable, nous en aurons un pour
sûr. » Et comme je demeurai stupide devant cette abra-
cadabrantesquerie, elle finit par : « J'ai demandé hier à
maman comment on avait des enfants et elle m'a répondu
que c'était quand on baisait un homme sur la bouche.
Tu vois bien que... »

Et moi, dès lors, devant cette innocence que je savais
incontestable et dont la fraîcheur m'est restée toujours
dans l'âme comme celle d'un bon fruit *au vent* resté
longtemps dans la bouche, — de saisir la balle au bond

et de m'écrier : « C'est vrai... Elle a bien dit, ta mère. (Que ce tutoiement m'était donc à la fois doux à l'infini... et cruellement incomplet!) Raison de plus pour mieux nous aimer si c'est possible. » Et désormais, convaincus *tous deux* qu'il n'y avait *plus de danger* et que le cher mal était fait, qu'il n'y avait plus à y revenir, nous nous embrassâmes à tour de bras et nous baisâmes à pleines lèvres. Après quoi, Joseph de moi-même, Hippolyte par ma propre initiative et, pour tout dire, trop tenté cette fois, je m'enfuis comme un assassin qui laisse tomber son couteau, comme un voleur que son vol effraie et qui s'en va les mains vides, — mon cœur à l'aise, tout de même!

Le temps s'écoulait et nous pouvions déjà présumer que le Jour qui n'en finissait pas d'arriver en finirait tout de même, en août.

Néanmoins au dehors commençaient à circuler de fâcheux bruits. La paix de l'Europe semblait compromise. Des bêtises impériales et de royales fourberies paraissaient devoir, comme de coutume, être réparées par du sang. On convoquait le ban et l'arrière-ban des jeunes hommes, et la garde mobile à peine réunie, à moitié habillée et non encore armée, faisait au camp de Châlons l'exercice avec des bâtons. Or je faisais partie... sur le papier, de la dernière classe à prendre pour cette nouvelle milice. On n'avait pas encore touché à ladite mienne classe, mais il était question au Corps Législatif de s'en occuper. La peste du Corps Législatif et de la Garde Mobile et de la guerre et du roi de Prusse et de l'Empereur et du prince de Hohenzollern, qui s'en venaient tous à l'encontre et m'avaient tout l'air de menacer, cette fois, d'une manière légale, stricte, bien plus terrible, si possible, que tout le reste, déjà oublié, mon bonheur si proche.

Et mon amour s'en exaspérait davantage : qu'allais-je faire peut-être de mal et de vilain ?

Heureusement une diversion survint sous la forme d'un petit voyage de pur agrément.

XII

On comprendra que je m'étende peu sur ce mince épisode dont je ne parle même ici qu'à titre précisément de bonne, de très bonne diversion à une situation devenant pour ainsi dire impraticable, vu l'état même des choses, contrarié, comme à plaisir, par de cruels événements vraiment.

La marquise de M... que j'avais connue chez Nina, femme elle-même remarquable par les dons de l'esprit et du cœur, qui avait été, très jeune, l'amie et un peu l'élève d'Alexandre Dumas le père, nous invita, fin juillet, Sivry, sa femme, sa plus jeune sœur et moi, à passer quelques jours dans son château de M..., près d'Argentan. Plaisant séjour au milieu d'une campagne des plus agréables comme eaux et comme bois. Je ne parle pas du bon cidre capiteux non plus que des vilains voisins processifs ni que des fameuses courses du Pin, qui furent les extérieures distractions de cette trop courte et, pour moi, néanmoins, encore trop longue villégiature, au cours de laquelle notre tout aimable amphitryonne multiplia les parties de voiture, les repas improvisés, délicieux de gaîté et substantifiquement parlant aussi, et les anecdotes piquantes qu'elle racontait sans fin d'une manière captivante au possible.

Oui trop longue, cette pourtant charmante halte aux champs, pour mon impatience de fiancé, mes inquiétudes d'éventuel garde mobile des plus patriotes, certes, mais par surcroît des mieux férus entre tous les amoureux du monde, et pour tout moi, quoi! Chaque jour je recevais et j'envoyais des lettres qui n'en finissaient pas. C'est surtout en ces moments que j'intercalais dans ma prose touffue et débordante, des « bonnes chansons » qui ne devaient pas faire partie du petit volume qu'on connaît peut-être, et qui était chez l'éditeur, *sobre siete llaves*, tout prêt à paraître le jour même où le prince Galaor serait pour recevoir la palme de son doux martyre.

Voici d'ailleurs, tout à fait inédits, quelques-uns de ces minimes poèmes, un peu vifs, n'est-ce pas, pour faire positivement partie d'un cadeau de fiançailles, mais

au point, je crois, et bien dans la note congruente à
de proches justes noces. J'ai bien changé ma « manière »
et de « manières » depuis. N'importe, j'éprouve un
plaisir que je ne saurais dire en retrouvant après tant
d'années, dans la poussière, tout à l'heure encore déses-
pérément secouée de « mes » tiroirs jamais longtemps
les mêmes et parmi les ruines de ma mémoire, ces
quelques épaves d'un vaste naufrage de paperasses et
de souvenirs [55] :

> *O l'Innocente que j'adore*
> *De tout mon cœur, en attendant*
> *Qu'à ce bonheur timide encore,*
> *S'ajoute le plaisir ardent,*

> *Vienne l'instant, ô l'Innocente,*
> *Où sous mes mains libres enfin*
> *Tombera l'armure impuissante*
> *De la robe et du linge fin.*

> *Et luise au jour chaud de la lampe*
> *Intime de ce premier soir*
> *Ton corps ingénu vers quoi rampe*
> *Mon désir guettant ton espoir,*

> *Et vibre en la nuit nuptiale*
> *Sous mon baiser jamais transi*
> *Ta chair naguère virginale,*
> *Nuptiale enfin, Dieu merci!*

> *Je t'apprendrai chère petite,*
> *Ce qu'il te fallait savoir peu*
> *Jusqu'à ce présent où palpite*
> *Ton beau corps dans mes bras de dieu.*

> *Ta chair, si délicate, est blanche,*
> *Telle la neige et tel le lys,*
> *Ton sein aux veines de pervenche*
> *Se dresse en deux arcs accomplis;*

> *Quant à ta bouche, rose exquise,*
> *Elle appelle mon baiser fier;*

Mais sous le pli de ta chemise
Rit un baiser encore plus cher...

Tu passeras, d'humble écolière,
J'en suis sûr et je t'en réponds,
Bien vite au rang de bachelière
Dans l'art d'aimer les instants bons.

Tu parles d'avoir un enfant
Et n'as qu'à moitié la recette.
Nous baiser sur la bouche, avant,
Est utile, certes, à cette
Besogne d'avoir un enfant.

Mais, dût s'en voir à tort marri
L'idéal pur qui te réclame,
En ce monde mal équarri,
Il te faut être en sus ma femme
Et moi me prouver ton mari.

Tels quels, j'écrivais, de M..., ces petits « vers »,
dont les deux derniers, *maintenant que j'y pense*, après
vingt-quatre ans, sont, par parenthèse, d'une construc-
tion plus que contestable; mais je ne pensais guère alors
qu'à mon but, me préparer une facile et délicate pourtant nuit de noces, aussi peu pénible pour les deux
intéressés par le fait! Les envoyai-je précisément tels
quels? Ici ma mémoire hésite, peut-être bien atténuai-je
par-ci par-là, quelques traits, par trop caractéristiques.
Bon de soulever quelques voiles, encore bien des ména-
gements sont encore de bonne guerre en même temps
que de bon aloi, dans des escarmouches de cette nature,
comme dans celles moins platoniques qui allaient suivre,
si les choses le permettaient, sous si peu!

Enfin le jour du retour arriva, car celui du mariage
approchait dare dare. Mais, bon Dieu, que d'aventures
encore, et quelles! entre cette coupe divine et mes pauvres
lèvres desséchées d'attendre et d'attendre ainsi sans
cesse! Oui, que d'aventures, impossibles! comme on
dit, dans un si court, mais si court espace de temps!

Car c'était la semaine du grand moment! Les événements avaient marché et marchaient à pas d'ogres. Nous

ne vîmes, tout le long du train omnibus qui nous ramenait, et à toutes les moindres stations, que réservistes
rejoignant. On ne parlait que de la guerre qui débutait
si mal, de trahison (déjà!), etc. Avec ce que j'ai dit
précédemment on peut se rendre compte de ce que je
ressentais et comme amoureux et comme... garde mobile
éventuel quand nous descendîmes par cette triste « arrivée » de la gare Montparnasse. (Avez-vous remarqué
que toutes les « arrivées » des gares de Paris sont tristes,
même quand, ce qui était notre cas, on n'a pas à subir
les affres de l'octroi.) Un air de tristesse indéfinie planait
comme un crêpe dans le crépuscule rouge et noir d'une
étouffante et menaçante soirée d'août chargée d'odeurs
moites et d'électricité. La foule, d'ordinaire circulant
insoucieuse et plutôt gaie à ces heures dans ces parages,
stationnait auprès des kiosques à journaux, et c'était,
du fiacre qui nous emportait aux confins de la Rive droite,
des gesticulations fiévreuses, doigts en l'air et têtes
branlantes... La Renommée aux cents bouches assom-
brissait ses mille voix vocératrices plus ou moins sincères
de bonnes et mauvaises nouvelles, toutes alarmantes
d'ailleurs... pour moi surtout. Ah! il ne manquerait
plus que *ça!*

XIII

En dépit de mes reproches intérieurs (car à quoi bon
alarmer cette enfant, sans raison peut-être ?) je ne pus
m'empêcher, dès le lendemain soir, dans un entretien
véritablement passionné, de faire part à Mathilde de
mes tristes pressentiments auxquels elle prit une part
qui me navrait ensemble et me charmait. Pour, néanmoins, écarter les trop sombres préoccupations, elle et
moi nous occupâmes des menus détails en vue de la
cérémonie de dans quelques jours. La couturière dut
en voir de grises et je ne laissais aucun repos au tailleur.
En même temps je tâtais ma future, avec laquelle je me
promenais depuis longtemps, sous l'égide de sa mère,
les jours de loisirs — depuis longtemps, oui, car je me
rappelle comme d'aujourd'hui, avoir vu cette année-là

le dernier bœuf gras et le dernier chienlit sérieux, passer, sous un grésil des plus mémorables, sur cette glaciale (ou torride) place de la Concorde, — je tâtais,
dis-je, discrètement ma future sur les cadeaux qu'elle
voudrait bien accepter dans la modeste corbeille de
noces que je lui destinais avec le regret que celle-ci ne
pût être « tout au moins » royale, et nos stations aux
devantures des bijoutiers et des magasins de linge fin
étaient sans nombre.

Tout allait donc au mieux pour nous et le matin de
l'avant-veille de la date bénie put contempler mon réveil
ravi, mon allée allègre au bureau après le meilleur baiser
donné à ma mère, un peu soucieuse, elle aussi, à cause
des nouvelles de la guerre et de leur influence probable
sur les délibérations des Chambres, mais enchantée de
ma présente belle humeur ; enfin, mon zèle administratif,
objet de l'admiration légèrement inquiète de mes collègues qui n'en avaient jamais tant vu de ma part et de
mes chefs littéralement ahuris.

Oui, tout allait au mieux, quand vers la fin de la journée bureaucratique, aux environs de quatre heures et
demie, cinq heures, dans la lumière affadissante de la
grande pièce aux murs bondés de cartons pleins de
paperasseries, où nous étions quatre derrière des para-
vents et devant des tables à casiers, chargés à en rompre
d'autres paperasseries en désordre, de lourds encriers,
de *grimaces* hérissées d'épingles, à noircir d'affreuses
feuilles blanches à en-têtes imprimées, avec des formules toujours les mêmes, *mandat de paiement de trimestre, etc.*, et des noms, *Guglielmini*, *Belloir*, et *tutti
quanti*, je vis entrer, pâle, défait, méconnaissable, un
de mes bons amis, L... de R..., garçon d'un cœur trop
débordant, l'exaltation en personne qui, brusquement,
m'apprit que sa maîtresse venait de mourir en couches,
et qu'il allait se tuer, me montrait à l'appui un revolver
affreusement chargé et me remettait aux mains un pli
assez lourd que je ne devais lire, ajouta-t-il, qu'après
sa mort, puis, avant que je pusse, abasourdi, du moins
le retenir pour quelque explication qui eût peut-être
modifié ses résolutions, s'enfuit, dépistant à travers les
corridors et les escaliers mon immédiate poursuite en

vue d'essayer de le détourner d'un suicide épouvantable
à mon cœur d'ami sincère, et de le désarmer s'il était
possible et de le retenir par la force s'il fallait près de
moi.

J'ignorais son adresse. Supposant qu'il me l'avait
laissée dans la lettre qu'il venait de me donner, je déca-
chetais cette lettre qui ne contenait qu'un testament où
il me chargeait de veiller sur l'enfant survivant dont la
naissance avait coûté la vie à la pauvre femme qu'il
voulait, mon malheureux ami, suivre dans la tombe.
D'adresse, point... Ce ne fut que le lendemain matin,
qu'après mon petit déjeuner, comme je m'apprêtais pour
aller au bureau, m'arriva un télégramme, me priant de
me rendre en toute hâte à Passy, telle rue, tel numéro,
et signé L... de R... Atterré et craignant tout, mais dans
le suprême espoir, que je sentais chimérique, que l'infortuné me demandait peut-être en vue de me revoir et
d'essayer de cramponner son désespoir à ma fidèle amitié,
j'écrivis un mot d'excuse à mon chef, et je pris un fiacre
au plus vite.

La veille, *on* m'avait trouvé, rue Nicolet, un air tout
sens dessus dessous, et quelques reproches, ô si affec-
tueux! m'en furent adressés. Je n'avais pas cru devoir
me disculper davantage qu'en attribuant mon un peu
« triste figure » à une extrême fatigue due à un excessif
travail de bureau, ce chien de bureau qui n'avait même
pas consenti à deux ou trois jours de congé avant mon
mariage et ne m'accordait, en suite de lui, que quarante
misérables heures de répit!

Quand j'arrivai à Passy, je trouvai L... de R... étendu
sur son lit, tout habillé, le front percé d'une balle. O
cette tête, qui avait été belle avec sa pâleur chaude et
ses longs cheveux romantiques, cette tête affreuse, vio-
lette maintenant, aux yeux encore plaintifs sous les paupières entrouvertes, à la bouche grimaçante et de côté,
montrant les dents dans une ouverture d'expiration dolente!

Je dus, au plus vite, aller prendre les ordres de la
mère qui ne me connaissait que par le bien que son fils
lui avait dès longtemps dit de moi... et que l'atroce
stupeur plus encore que l'immense désespoir — un fils

unique et chéri et qui la chérissait! — rendait incapable
— douloureuse et comme offensée par cette mort pour
une étrangère! — de s'occuper des misérables choses
qu'implique un décès, surtout un décès il-lé-gal. Enquête,
pour la forme, mais taquine quand même, du médecin
de la mairie, « obéissant à des ordres spéciaux », visite
plus vexatoire encore du secrétaire de Monsieur le
commissaire de police du quartier, déclarations, témoins
à décider, car, à Paris, on n'aime pas à contresigner la
fin d'un homme qui en a eu assez de l'existence qu'on
mène ici-bas!

Bien plus, la mère, catholique, me chargea d'obtenir
de M. le curé de Passy l'entrée à l'église du corps de
son malheureux fils. Je trouvai d'ailleurs dans cet ecclé-
siastique un homme très affligé de ce qui était arrivé et
très touché de la présente démarche qui, après m'avoir,
comme devaient l'y inviter mon âge et la grande sincérité d'émotion que je manifestai, tout en me déclarant
ou plutôt en me laissant deviner incrédule, un peu ser-
monné, accorda un « convoi de trois heures » pour le
lendemain...

Le lendemain qui était donc la veille de mon mariage
— cette fois, le soir même de cette avant-veille si tristement mémorable, j'avais expliqué mon étrange tenue du
soir précédent et l'on ne m'avait pas su mauvais gré de
l'explication, tout au contraire, plutôt, — après l'envoi
simultané à mon bureau d'une nouvelle excuse d'absence
et de diverses invitations à la cérémonie du jour s'ensuivant, j'assistai, en compagnie du seul M. Anatole
France, mon ami depuis longtemps et toujours depuis
resté tel bien affectueusement (pourtant de nombreuses
lettres de part avait été envoyées par mes soins), aux
courtes prières d'après-midi, dernier adieu à celui qui
n'avait pu davantage lutter contre cette cruelle vie...

Dans quel état d'énervement je rentrai dans Paris
proprement dit, l'incident suivant en fera preuve mieux
que toute analyse psychologique.

La vérité venait d'éclater la veille, place Vendôme.
Au lieu de la fausse victoire de Mac-Mahon qui avait
fait, deux jours auparavant, se pavoiser follement toutes
les fenêtres du quartier, hélas! de la Bourse! on appre-

nait la triple défaite et la retraite « en bon ordre » de
l'armée du Rhin. Une extraordinaire surexcitation fer-
mentait menaçante, et d'ailleurs absurde, comme la suite
devait le démontrer. On s'arrachait les journaux autour
des marchandes. J'en achetai un qui mit le comble à
l'état d'esprit horriblement fiévreux où je me trouvais
depuis la veille, et, je n'étais pas plutôt installé de quelques
instants sur la terrasse du café de Madrid, où je trouvai nombre de camarades, littérateurs et ce qu'on n'appelait pas encore politiciens, qu'un régiment venant à
passer, *Marseillaise* en tête, un formidable cri de « Vive
la République! » s'élança de toutes les poitrines —
de presque toutes du moins, car comme je m'étais un
peu levé et approché du bord du trottoir pour mieux
faire ma manifestation apparente, ô de pur instinct, ça
croyez le bien, et sans espoir d'une sous-préfecture
après « la Glorieuse » imminente, un monsieur, chapeau rond, l'air d'un calicot en délire m'apostropha :
« C'est vive la France qu'il faut crier, citoyen! En un
pareil jour il n'y a plus de partis, il n'y a plus que le
drapeau », etc., — et pour me prouver la vérité de son
dire, me désigna à des agents qui s'approchèrent et
firent mine de m'empoigner. A cette vue, et comme je
gesticulais comme un beau diable, proclamant encore et
encore la République de toutes mes forces, et ma foi!
de tout mon cœur, les camarades de la terrasse et
quelque public m'arrachèrent aux agents qui d'ailleurs
me tenaient assez mollement, et je me dérobai aux ova-
tions par le passage Jouffroy. En voilà une affaire!
on allait en apprendre de belles rue Nicolet ce soir! Et
harassé, plein de soif et dans un désordre de toilette
qui réclamait quelque soin de ma cravate et autres
accessoires, j'entrai au café de Mulhouse qui, depuis
fut un bouillon et sur l'emplacement duquel, jardin
compris, s'est installé le Musée Grévin. Là, je demandai la dernière absinthe que je dusse prendre de longtemps, de pas assez longtemps, et le journal du soir le
mieux informé qui était alors, *La Patrie*, sous la forme
patriarcale et trapue qu'elle a perdue depuis, est-ce pour
un bien ? La première chose qui y frappa mes yeux était
ceci, à peu près textuel et cruellement exact dans sa

teneur : « Eugénie, régente, à tous présents et à venir salut, promulguons, le Conseil des ministres entendu, le Corps législatif a voté, le Sénat a adopté. Article unique : Tous les hommes non mariés, des classes 1844, 1845, etc., qui ne font pas partie du contingent, sont appelés sous les drapeaux. »

Ça y était! Mon mariage n'aurait pas lieu!

XIV

Et dès après avoir, car je ne manquai jamais à ce devoir, embrassé ma mère chez qui j'étais rentré, comme un fou en affectant le calme qu'il fallait, et dîné vite, je la quittai dans une étreinte qu'elle dut surtout attribuer à mon bonheur que ce fût ma dernière soirée avant la suprême nuit, et courus d'un trait jusqu'à mon paradis cru perdu!

Là, en attendant que « Mademoiselle » descendît au petit salon coutumier, j'essayai de me remettre un peu et de me composer un maintien, en même temps que par une toux discrète dans le creux de ma main je me préparais une voix appropriée. Je croyais y avoir réussi, du moins en partie, mais dès l'entrée d'Elle tout mon échafaudage de sang-froid et de calme s'écroula dans une émotion sans pareille dont l'expression soudaine hacha d'illogiques exclamations et presque de sanglots le discours prémédité que j'avais en tête. Mon histoire, racontée de cette façon-là, commença par l'abasourdir, elle me la fit répéter et répéter, et sa conclusion, après d'évidentes alarmes qu'elle partageait de plus en plus à mesure que s'élucidait mon récit réitéré, et qu'elle me cachait mal d'ailleurs, fut ce que murmurait encore quelque chose, ô de si faible, en mon agité, en mon tumultuairement contradictoire, for intérieur :

« C'est impossible, c'est tout à fait impossible! »

Impossible, évidemment. Mais sûr, ô qu'oui, hélas! et je lui montrai un journal que j'avais acheté en route.

Alors elle s'attrista, le dirai-je, jusqu'aux larmes, ce qui me fit pleurer à mon tour. J'entrai dans la plus grande exaltation et ce fut, après d'infinies lamentations

réciproques, que, tombant à genoux et la tête presque
sur la jupe de son peignoir blanc tout simple qui grandissait un peu sa petite taille et, un peu aussi, angélisait
son corps plutôt légèrement disposé à devenir potelé,
je finis par oser lui faire comprendre, à travers combien
de précautions (mais peut-être était-elle, depuis le soir
du baiser sur la bouche, plus instruite de ce qui l'attendait dans l'état de mariage) qu'il serait cruel, inhumain
à elle, et préjudiciable à tous deux, quoi qu'il arrivât
et au cas où, le lendemain, on nous refusât, aux termes
du décret impérial, de prononcer la formule d'union
tant attendue, de ne pas m'accorder, avant le départ
pour le régiment tout ce que je lui demanderais, fût-ce
cette chose complémentaire dont lui avait parlé mon
dernier petit envoi de vers. Elle me promit tout ce que
je voulus, et fort de sa parole que je savais fidèle, je
me relevai, plus ferme, mieux décidé au bien, redevins
moi-même et, l'ayant baisé bien gentiment sur sa menotte
un peu fiévreuse, m'en allai dans je ne sais plus quel
état à la fois joyeux et navré, mais en somme plutôt
bien.

Nuit très calme, sans rêve. Réveil de bonne heure,
plutôt joyeux! Au fond j'avais un bel espoir, une certitude, quelle certitude au cœur et aux sens! *En tout cas*,
ça irait bien. Car si j'étais amoureux, maintenant que
l'amoureux pouvait compter sur l'accomplissement de
son désir le plus direct, j'étais patriote aussi, et..., oui,
même

Mourir pour la patrie

moyennant un amour satisfait qu'on a dans la tête et
dans le sang, me paraissait vraiment bel et bon...

Nous arrivâmes rue Nicolet, ma mère et moi, environ
une heure avant que trois voitures de remise vinssent
prendre « la noce », composée de nos quatre témoins
au nombre desquels, entre un médecin-major vieil ami
de ma famille et un savant de l'Institut, se trouvaient
notamment mon regretté Léon Valade et M. Paul Foucher, beau-frère de Victor Hugo, l'homme le plus myope
de France peut-être, qui, moi lui ayant été présenté par

ma belle-mère comme le fiancé de sa fille, au sortir du
concert Pasdeloup, n'avait retenu de ma physionomie
que ceci qu'il proclamait à tous ceux que cela pouvait
intéresser : « J'ai vu l'autre jour le futur de Mlle M...
C'est prodigieux ce que ce jeune homme a de cheveux! »
Or, dès cette époque je commençais à ébaucher et non
« de main morte » la parfaite calvitie qui me distingue
aujourd'hui de quelques-uns de mes contemporains,
même des mieux favorisés naturellement sous ce rap-
port-là... L'on causait de tout un peu en attendant les
quelques invités peu nombreux (vu les circonstances de
la guerre et les nouvelles de plus en plus mauvaises),
parmi lesquels M. Camille Pelletan, un camarade de
longue date, alors poète et auteur même d'une comédie
en vers qu'il devrait bien imprimer, car, ainsi, du reste,
que plusieurs petits poèmes dont il donnait à cette
époque volontiers lecture à ses intimes, elle était mar-
quée au bon coin banvillesque avec de l'originalité vraie...
La vie, qui est si baroque, a fait de ce fantaisiste aimable,
primesautier, gamin et enfant à ses heures, un homme
politique de qui d'aucuns, lesquels d'ailleurs peuvent
sans usurpation se mettre en tête des imbéciles du repor-
tage parlementaire, ont fait, de toutes pièces, le Croquemitaine et le Diable sortant tout ébouriffé d'une boîte
à ressort, qu'on sait... et qu'on n'a jamais vu.

Ma fiancée descendit enfin toute rosée sous un long
voile blanc. Elle ne portait plus aucune trace de sa
récente convalescence et était redevenue, peut-être un
peu plus forte, la mignonne de naguère. Elle me salua
d'un regard où se lisait l'assurance, la chère assurance
de la veille et comme de la résolution au quand même
promis! Sa vaillance me rendit encore plus vaillant et
ce fut d'une main de serment que je serrai la sienne,
ferme aussi. C'était donc charmant et ce fut d'un pied
de conquête, presque, que j'escaladai le plutôt trop haut
marchepied de la seconde voiture où se tenaient trois
des témoins dont M. Paul Foucher qui finissait juste à
ce moment précis une phrase qui signifiait que j'aurais
bien de la chance si l'on nous octroyait le *conjungo*, vu
le décret, exécutoire, de la veille...

La cérémonie, toujours un peu ridicule, du mariage

civil, rendue on eût dit plus solennelle par précisément
cette inquiétude que nous partagions tous plus ou moins,
commença par des lectures suivies de signatures sans
fin. Après quoi le maire de l'arrondissement qui s'était
dérangé en personne, mon beau-père étant quelque chose
dans les « légumes » de l'arrondissement, conseiller can-
tonal, si je ne me trompe, procéda d'une voix bredouillante à l'énonciation des articles du Code appropriés à
la circonstance, et, finalement, à la question double, but
de tout ce remue-ménage.

« Consentez-vous à prendre pour épouse Mademoiselle une telle ? consentez-vous à prendre pour époux
Monsieur X ?... »

Il fut répondu « à haute et intelligible voix » de part
et d'autre, je vous en réponds.

Le mariage religieux qui prit place un quart d'heure
après en l'église Notre-Dame de Clignancourt, m'importait peu — et dirai-je qu'il importait peu à ma « femme »;
laquelle, en dépit du vernis que les bienséances sociales
exigeaient encore en ces ères reculées, n'était guère plus
croyante que moi ni que ses parents....

Et Dieu ? Tel est le siècle, ils n'y pensèrent pas. [56]

La seule, mais qui m'est *bonne*, particularité de cette
dernière cérémonie consista en la présence à la sacristie
de Mlle Louise Michel, qui dans ce temps-là vivait de
leçons en ville et en avait donné quelques-unes à ma
femme. Elle n'osa, me dit-on après, en m'apprenant sa
présence à la sacristie car je ne la connaissais pas de
traits, m'aborder pour me congratuler comme c'est
l'usage, mais remit à ma femme quelques vers où elle
nous engageait à rester de bons citoyens s'appliquant à
en procréer et à en former d'autres. Grand, naïf, trop
bon cœur, mais si grand, celui-là, malgré tant de belles
erreurs !

Et fouette, cocher, pour le déjeuner dînatoire rue
Nicolet, le thé et le piano jusqu'à dix heures... et la nuit
nuptiale !

XV

La nuit nuptiale ? — Elle fut tout ce que je m'en étais
promis, j'ose dire tout ce que nous nous en promettions,
elle et moi, car il y eut dans ces divines heures autant
de délicatesse de ma part et de pudeur de la sienne que
de passion réelle, ardente, des deux côtés. Elle fut, cette
nuit, sans pair dans ma vie et, j'en réponds, dans la
sienne, dans toute la sienne! Elle fut suivie de maintes
autres nuits consécutives qui constituent peut-être le
meilleur de mes souvenirs dans cet ordre de sentiments
— car j'ai beaucoup aimé dans ma vie, beaucoup trop ?
Eh bien, non! décidément non! Et l'amour, voyez-vous,
croyez m'en plutôt que de m'en blâmer d'avance, c'est
sinon le tout, ah! du moins bien le presque tout, le
mobile quasiment unique de toutes les actions dignes
de ce nom, et ne me parlez pas d'autre chose, ambition,
lucre, gloire! Tout au plus peut-être de l'Art. Et encore,
et encore, l'Art, tout seul ?...

Quoi qu'il en soit, une semaine se passa dans la maison de la rue Nicolet puis une autre et quelques jours
dans un appartement que nous occupâmes rue du Cardinal-Lemoine, quinzaine délicieuse, puérile et grave en
même temps, qui devait cesser si tôt pour quelles années
et pour quel avenir, Dieu vengeur!

Le 4 septembre éclata soudain comme une bombe
malgré de déjà sinistres prévisions, mais le malheur sur-
prend toujours. Hélas! je l'accueillis avec un enthousiasme
non coupable, puisque j'avais des convictions sincères et
si désintéressées et que je restais patriote, oui, patriote, et
je sais tous les raisonnements là-contre que je comprends
sans les admettre; mais vraiment quand j'y réfléchis
bien maintenant que je n'ai plus guère d'opinions autrement que philosophiques, c'était mal de ne pas voir la
France dans le désastre de l'Empire, mais la seule
République, cette République revenant, elle aussi, somme
toute (mais, c'est vrai, ne revenant que pour défendre
la patrie) dans ces fourgons de l'étranger, tant reprochés
à cette plutôt malheureuse et maladroite que malhonnête
Restauration de 1815.

Ma femme, *risum teneatis*, seize ans, toute à moi désormais et à son petit plutôt encore qu'à son jeune ménage, partageait, dirais-je ma joie quasiment impie, et c'était à la fois plaisir et pitié, à cause de sa gentillesse, précisément, à la fois, de l'entendre dire de sa voix de caresse puérile : « Maintenant que nous l'avons, tout est sauvé, n'est-ce pas, dis ? Ce sera comme en... comment donc ? Elle voulait dire Quatre-Vingt-Douze. Je lui soufflais la date de cet « épisode qui ne se renouvellerait pas », selon la prophétie de M. de Bismarck... Enfin c'était un assez, tout ça, ridicule et, au fond, triste commencement patrouillotte de ce qu'on devait dénommer deux ou trois mois plus tard, « la fièvre obsidionale ». Mais aussi c'était de ma faute et je n'avais qu'à ne pas lui avoir adressé dans *La Bonne Chanson*, qui venait de paraître sans trop de vente, naturellement en des circonstances pareilles, des vers un peu « pompiers », Quarante-Huit au possible et que j'admirais beaucoup alors.

> *Nous vivons en des temps infâmes*
> *Où le mariage des âmes*
> *Doit sceller l'union des cœurs.*
> *En ce siècle d'affreux orages*
> *Ce n'est pas trop de deux courages*
> *Pour vivre sous de tels vainqueurs!*

Dans une nouvelle intitulée *Pierre Duchatelet* j'ai suffisamment, à travers une affabulation à dessein violente et toute de fantaisie, rendu compte de ces infiniment petits détails de mes débuts dans le mariage en temps de guerre. Il va sans dire que moi aussi, je coupais dans tous les ponts du moment, et qu'alors qu'une bonne, qu'une grosse partie de mes « collègues » de la préfecture de la Seine s'empressaient de bénéficier des nombreuses exemptions accordées à tous les employés de l'État et de la Ville quant à ce qui concernait le recrutement de la Garde Nationale de marche, et même de l'autre (côté des *pantouflards*), je me fis inscrire dans le 160e bataillon — La Râpée-Bercy qui était de faction entre Issy, Vanves et Montrouge. Tous les deux jours, armé de mon fusil à piston qui devait bientôt se pro-

mouvoir en un fusil « à tabatière », je montai des gardes
combien inutiles ! Dans les commencements, c'était véritablement charmant, véritablement, et je n'exagère en
rien. D'abord, on était dans ce délicieux mois de septembre aux matinées aigrelettes et clairettes si préférées
des gens matineux comme je l'ai toujours été : la marche
au pas, l'exercice, gymnastiques astringentes et apéritives
au possible, etc., etc., quelles piquantes nouveautés ! Il y
avait bien à cette médaille... militaire, un revers, qui
était, immédiatement parlant (mais ceci rentrant un peu,
en quelque sorte, dans notre plan *héroïque* à mon héroïne
de femme et à moi), qui était cette séparation d'un jour
et d'une nuit, d'ailleurs vite et bien compensée par une
mise s'ensuivant des « morceaux doubles », caresses et
baisers, — et aussi, aussi, des habitudes de jeu de bou-
chon, de marchands de vin, de pipes, qu'on arrose et
de propos... soldatesques qu'on échange puis qu'on
retient, — si bien, si bien, que notre première querelle
eut lieu ! O la première querelle dans un jeune ménage,
quelle affaire ! Date mémorable, souvent fatale. Ce dernier cas fut le nôtre.

Elle vint à propos d'une rentrée, tardive et des plus
avinées ou absinthées, des remparts. Ma femme éclata
en sanglots dès m'avoir vu, puis en reproches... Ça,
aussi, c'en était trop — et je me fâchai à mon tour. Et
très haut. Le lendemain, qui était donc un jour de
bureau et de repos relatif pour moi, comme je rentrais
de meilleure heure que d'ordinaire, mon travail à l'Hôtel
de Ville terminé, ma femme n'y était pas.

« Madame a dit en partant qu'elle reviendrait juste
pour dîner : elle est chez ses parents. » Or, ses parents,
par une étrange stratégie en vue d'éviter le bombarde-
ment, avaient quitté leur maison de Montmartre pour
prendre un appartement boulevard Saint-Germain ! A
deux pas d'ailleurs de chez nous. Sans débrider, et un
peu furieux, au fond, de quoi et pourquoi, je fis le mauvais geste d'aller là, — non sans avoir demandé depuis
quand Madame était sortie. Depuis peu. Mais les bonnes,
faut-il s'y fier, les jeunes bonnes des jeunes femmes surtout ?... Bien entendu je trouvai ma femme qui m'ac-
cueillit même avec un plaisir sans nul doute sincère,

mais qui, dans la disposition d'esprit où je me trouvais, me parut comme ironique, — et le soir, chez nous, après un dîner, brûlé, de cheval et de conserves de champignons, se produisirent la seconde scène et — la première claque.

Dieu vous préserve d'entamer l'une et de donner l'autre!

Je devais, de par la logique même et la loi morale aussi bien que physique de la *vitesse acquise*, amèrement regretter ma double initiative dans ce cas... de conscience.

XVI

Ç'allait, parbleu! ne plus finir. Qui a bu, boira, et tel, n'est-ce pas, mon Dieu, qui a frappé, périra frappé, selon votre parole. Avec des masses, des tas, des flottes de réconciliations sincères, comment donc! ce fut toujours à recommencer. Tel un jeu de balles, — de *foot ball*, car cela en venait trop souvent jusqu'au trépignement. Et cela dura ainsi balancé, compensé, pour parler plus *équipollemment*, jusqu'à la fin du siège de Paris. Je passe sur les héroïsmes de ces mois plutôt maussades et férocement enrhumés jusqu'aux rhumatismes futurs... et présents. Depuis, des bronchites, grâce auxquelles je pus quitter « les armes » et rentrer dans la vie privée, désormais une espèce d'enfer intermittent duquel ne me tira, par d'étranges moyens, comme on va voir, et pour un temps trop court! que la Commune, elle-même, dans ses suprêmes horreurs.

J'étais resté à Paris après le 18 mars. D'abord, j'y avais mon travail, précisément dans le local, siège de l'insurrection triomphante; ensuite ma mère, souffrante en ce moment, y habitait toujours la rue Lécluse, puis nous y possédions, ma femme et moi, notre joli appartement sur le quai, avec un balcon qui nous était mitoyen avec celui de Mme Clément, femme du déjà célèbre alors ex-commissaire (impérial) aux délégations judiciaires, pour le moment à l'étranger, enfin et plutôt surtout parce que le mouvement me plaisait, qu'il me semblait une revanche sur la veulerie des gens du Quatre-

Septembre, que je comptais des amis parmi les nouveaux venus, Raoul Rigault, par exemple, mon camarade d'étude, pendant des années, à la pension L...,
Jules Andrieu, mon collègue de tout naguère, à l'Hôtel
de Ville, et d'autres en sous-ordre; et encore cette dernière considération ne primait pas dans mes motifs politiques : non, j'avais, dès l'abord aimé, compris, croyais-je,
en tout cas bien sympathisé avec cette révolution à la
fois pacifique et redoutablement conforme au si vrai
Si vis pacem para bellum; avec ce manifeste anonyme, à
force de noms obscurs et volontairement modestes sous
la simple rubrique de *Comité central*, qui, ainsi que carac-
térisaient son allure du début des vers de moi, dont le
premier seul m'est resté en tête,

> *Sans déclamation et sans logomachie,*

avait tout bonnement posé, d'aplomb et net et bien, la
question politique intérieure et indiqué d'un trait parfait le futur problème social à résoudre *illico*, fût-ce par
les armes... Les choses s'étaient gâtées depuis. En face
du gouvernement absolu de Versailles et ses stratégies
à la Cavaignac, mises en œuvre par le Thiers des rues
Transnonnain et de Poitiers, s'était substituée à la belle
évolution populaire, la seule *intelligente* peut-être évolution populaire de toute la Révolution française à travers ce siècle, la reconstitution, historique jusqu'au pla-
giat, d'une impossible Commune de Paris, bavarde,
brouillonne, doctrinaire en outre! N'importe, le mot,
alors magique pour mon esprit tout imbu d'hébertisme
pittoresque, m'avait séduit comme m'avait convaincu la
si claire et bien manifeste expansion du 18 mars [57].
   Si bien que, quand arriva la fin lamentable, je ne fus
pas à mon aise du tout. A vrai dire, après avoir gardé
mon humble emploi de rédacteur à l'ordonnancement,
j'avais accepté la sinécure, à défaut d'aucun ordonnancement possible dans une telle administration succédant à
plus de six mois d'une administration presque « aussi
pire », la sinécure, comme qui dirait l'honorariat de la
fonction de « chef de bureau de la presse », dont le titu-
laire, plus tard fortement condamné par les conseils de

guerre, existait, *absolument*, au ci-devant ex-ministre de
l'Intérieur. J'étais resté dans ma pièce d'autrefois où il
y avait place pour deux, et écrit sur la porte aux vitres
dépolies depuis des temps immémoriaux : « LE PUBLIC
N'ENTRE PAS ICI. »

Mes occupations consistaient à parcourir les journaux
et à en signaler les articles favorables ou hostiles à la
Commune. J'étais aidé dans ce travail peu dur, par un
homme d'une cinquantaine d'années, que j'ai eu depuis
des raisons de croire avoir été un mouchard déguisé en
communard trop fanatique, qui découpait et collait sur
de grandes feuilles de papier vergé, les paragraphes incri-
minés, sillonnés préalablement par moi de soulignés
au crayon rouge et bleu, et reliés entre eux par de
vigoureux commentaires de ma façon. A quatre heures,
j'allais porter « l'ouvrage » au cabinet du membre compé-
tent. Qu'advint-il de ces rapports ? je n'en sais rien,
car l'incendie postérieur de l'Hôtel de Ville fit disparaître totalement toutes pièces administratives d'entre
les miennes, en compagnie de plusieurs choses en vers
et en prose dont je déplore moins la perte que je ne me
reproche l'assez sot rôle que j'avais joué là pendant ces
deux mois d'illusions, par le fait généreuses, que je ne
regrette pas, somme toute, d'avoir eues, elles.

Donc, j'étais passablement inquiet de l'avenir tout
proche quand, le lendemain d'un soir de la fin de mai
où j'avais, quel spectacle d'affreux cabotinage! assisté à
une réunion publique dans l'église Saint-Denis du Saint-
Sacrement, je fus réveillé par la voix de ma femme qui
rêvait très haut. Elle disait : « Les voilà! ô les sales
mouches! y en a-t-il, y en a-t-il, mon Dieu, y en a-t-il!
Vite, sauvons-nous, Paul!... » Puis elle se réveilla, ne se
souvenant pas, comme il arrive presque toujours, de son
rêve que je lui racontai, et dont nous finîmes par rire.
Puis je sonnai la bonne pour le chocolat habituel du
matin. La falote créature, une linotte, comme je disais
en la comparant avec l'oie qu'était une autre servante
de chez mes beaux-parents, avant même d'avoir déposé
les deux tasses et les deux croissants sur chacune de nos
tables de nuit (ai-je dit que notre lit était « de milieu »,
suivant notre ancien projet légèrement amélioré... en ma

faveur ?), s'écria en mots entrecoupés : « Ils sont entrés,
madame, ils sont à la Porte Maillot! »

C'était vrai, comme je pus m'en assurer tout de suite,
en percevant des fumées d'obus éclatés avec une force
d'à bout-portant sur l'Arc de Triomphe et au-delà, en
plein Champs-Élysées.

Des fuites de gens dans la rue, le rappel battant de
toutes parts, Notre-Dame sonnant une générale précipitée eurent bientôt corroboré cette brusque nouvelle.

« Paul, me permets-tu d'aller à Montmartre (mes
beaux-parents, toujours avec un instinct à l'envers du
danger à éviter, avaient réintégré leur domicile de la rue
Nicolet), je reviendrai aussitôt.

— Vas-y donc! répondis-je ajoutant peu gracieuse-
ment d'ailleurs, sans l'avoir embrassée, si ma mémoire
est sûre : Rapporte des nouvelles, surtout! »

Je restai à la maison, ayant peut-être des intentions
sur la bonne qui était mignonne et qui commençait à
avoir si peur, qu'elle semblait ne demander, dès qu'elle
se vit seule avec moi, pas mieux que d'être rassurée...

XVII

D'ailleurs, remettant à plus tard ces projets dont je
ne me proposais que de prendre un léger à-compte, et
à ce pourvoir dans l'après-midi, après un déjeuner quasiment en commun, je sortis aux renseignements, non
sans avoir prévenu celle qui était en ce moment, pour
moi, la « belle enfant », un ancillaire caprice, quoi! de
mon prompt retour et l'invitant, après ses petites courses
pour le déjeuner, à rester à m'attendre, si elle préférait,
chez la concierge. Comme, de toutes parts on ne me
donnait que des nouvelles de plus en plus terribles et
que du quai on voyait les flammes blanches, sur le bleu
du ciel splendide, du palais des Tuileries et de l'hôtel
du Ministère des Finances, à mon tour je fus pris d'une
fringale de voir ma mère, bien isolée dans ses Batignolles
où nous avions, ma femme et moi, été vivre plusieurs
mois chez elle qui avait plus de provisions, œufs et
pommes de terre, que nous. J'allai jusqu'au Château-

d'Eau, à travers une agitation effarée et mal guerrière,
mais menée au son du tambour.

> *Entendez-vous, c'est le tambour*
> *De la gard' nationale,*
> *De la gard' nationale.*

Là, un escogriffe mi-sous-off, mi-souteneur dans le
civil, muni d'un grand sabre et coiffé d'un képi mons-
trueusement galonné, chef d'une barricade en érection,
me mit un revolver sur la tempe m'intimant de rebrous-
ser chemin, en dépit de la carte de circulation timbrée
de la Commune de Paris que je lui présentais. « J'emm-
merde la Commune et vous, et filez vite d'où vous
venez, ou... » Devant le *quos ego* de ce Cambronne au
rabais, je rétrogradai en effet et essayai à plusieurs
reprises de « forcer les lignes «. Partout le même insuc-
cès découronna et finit par décourager mes efforts. Je
rentrai rue du Cardinal-Lemoine. La concierge m'aborda
par ces mots qui me stupéfièrent en même temps que
ma bonne tapie au fond de la loge claquait, on eût dit,
des dents en me regardant comme on implorerait un
Zeus Sôter :

« Monsieur, il y a deux gardes nationaux sur votre
palier qui vous attendent.

— Ils n'ont rien dit ?

— Que votre nom, et s'annonçant comme de vos amis,
mais ils ont une mine... »

Quatre à quatre je grimpai et me trouvai en face de
mon ami Edmond Lepelletier, le publiciste bien connu
et Émile Richard, mort, longtemps après, président du
conseil municipal de Paris, — noirs de poussière et de
poudre, qui sortaient d'une barricade toute voisine et
me demandaient asile.

Naturellement je les introduisis chez moi et nous
commençâmes la crémation des bandes de pantalons, la
destruction également par le feu des képis, par le jet
dans les latrines des boutons de fer-blanc, et autres
précautions contre une perquisition probable. D'armes
et de cartouches, plus question ; il les avaient jetées en
chemin.

Défaite complète, me dirent-ils. Dans quelques heures les Versaillais occuperont le quartier.

Nous mangeons de grand appétit, eux surtout, servis par la bonne remontée sur mes pas, que nous plaisantâmes sur ses craintes et qui parut plus tranquille désormais. Moi, cette soudaine visite d'amis chers mais *présents* me contrariait un peu, étant donné les vues dont j'ai parlé plus haut, mais l'hospitalité, dans des circonstances pareilles, primait tout, n'est-ce pas ?

Vers dix, onze heures, nous perçûmes distinctement la fusillade qui s'approchait. Un bruit sec et roulant de moulin : le tic-tac vraiment... Et du balcon nous assistâmes au déploiement en bon ordre du bataillon des vengeurs de Flourens (Florence, prononçaient les gens de la rue, de même qu'ils disaient Félixe Pyat et Paschale Grousset) gamins dans les quinze, seize ans, vêtus en chasseurs à pied de la garde impériale, costume noir et vert, culottes de zouaves, large ceinture blanche, et l'air crâne, trop crâne, mais qui se firent tuer jusqu'aux derniers, le lendemain, à la barricade du pont d'Austerlitz par des marins par trop furieux vraiment...

En même temps sortait du campanile de l'Hôtel de Ville une mince fumée noire : et au bout de deux, trois minutes, au plus, toutes les fenêtres du monument pétèrent, laissant échapper d'énormes flammes, et le toit s'écroulait parmi une immensément haute et large aigrette d'étincelles. Ce feu dura jusqu'au soir, tombant dès lors sous la forme d'un brasier colossal qui devint pour les journées s'ensuivant, un gigantesque fumeron. Et le spectacle, horriblement beau, fut repris à la nuit, par la canonnade des buttes Montmartre qui forma de neuf heures à trois heures du matin un feu d'artifice comme on n'en voit pas. Dans la journée nous avions eu l'explosion de la poudrière du Luxembourg, terriblement forte, et l'invasion, pleine de promesses, dans l'escalier de la maison, d'une foule de gens avec leurs hardes, échappés des entours du Panthéon sur la menace, et, dans leurs esprits, la certitude de l'imminente destruction par la mine, de l'œuvre de Soufflot. Ma femme n'était pas revenue, ce qui ne m'étonnait pas par ces circonstances et j'étais bien anxieux de ce que devenait ma mère dans un quartier paisible d'ordinaire, mais, dès le principe, fortement travaillé dans le sens insurrectionnel... Vers quatre heures du matin, mes hôtes couchés sur des matelas dans la salle à manger, moi dans la chambre nuptiale cette fois déserte, comme l'aube se levait radieuse dans le ciel tout retentissant du bruit infâme de la bataille, — un grand coup de sonnette nous fit tressaillir. Je courus à moitié nu à la porte : ma mère, haletante, avait passé la nuit entière à franchir des barricades assiégées; tout à l'heure, là, tout près, n'avait-elle pas assisté, rue de Poissy, à un massacre d' « insurgés », hommes, femmes, enfants.

« Oh! disait-elle en frémissant encore, je suis femme de militaire, mais aujourd'hui, j'ai l'uniforme et les armes en horreur. »

Combien de baisers, n'est-ce pas, et quelle effusion !

« Et ta femme ? »

A ce moment un second coup de sonnette se fit entendre. C'était ma femme. Enfin! Cette fois je l'embrassai bien fort et nous pleurâmes de joie tous trois. On s'occupa de faire évader nos amis compromis, ce qui eut lieu, grâce à ma garde-robe dégarnie et celle un peu aussi, de l'excellent propriétaire d'alors, M. Brazies père qui se prêta en véritable homme de cœur à cette œuvre de salut. Les fugitifs purent regagner leurs domiciles sains et saufs, moyennant toutefois une petite aventure arrivée à Lepelletier qui, s'étant engagé pour la durée de la guerre, avait vaillamment fait toute la campagne de Paris, depuis la retraite de Mézières et qui, à ma porte, rencontra des soldats de son régiment conduits par un sergent qu'il connaissait pour avoir bu avec lui à la cantine, et avec qui il but, cette fois, à la cause de l'Ordre, N. de D.!

Eux partis, ma femme nous confia qu'elle était enceinte de deux mois passés : ce qui, pour quelque temps, me ramena vers elle, selon, d'ailleurs, les conseils de ma mère qui se doutait bien que tout n'allait pas pour le mieux dans mon ménage.

Et tout alla cahin-caha dans ce ménage... jusqu'à l'arrivée à Paris, vers octobre 1871 [58], d'Arthur Rimbaud, pour qui ma femme conçut tout de suite une

jalousie absolument injuste, alors ! dans le sens vilaine-
ment désobligeant qu'elle l'entendait... Il ne s'agissait
en principe, non pas même d'une affection, d'une sympathie quelconque entre deux natures si différentes que
celle du poète des *Assis* et la mienne, mais bien d'une
admiration, d'un étonnement extrêmes en face de ce
gamin de seize ans qui avait dès lors écrit des choses,
a dit excellemment Fénéon, « peut-être au-dessus de
la littérature »... [59]

Ici finissent, pour un temps peut-être, mes « Confessions [60] ». L'ensemble de mon œuvre en prose et en
vers témoigne assez, d'aucuns disent ou trouvent que
c'est trop, de beaucoup de défauts, de vices même, et
d'encore plus de malchance, plus ou moins dignement
supportée.

Mais tout de même et sans trop de vanité et d'orgueil
miens, le mot de Rousseau peut servir de morale moyenne
à ma vie :

« On est fier quand on se compare. »

Ou plutôt, pour conclure comme le chrétien que j'ai
essayé d'être et qui n'est peut-être pas tout à fait sub-
mergé, ne dois-je pas répéter, parlant de tout mon passé,
avec cet autre confesseur de soi-même, l'adorable évêque
d'Hippone :

« *Domine, noverim te!* [61] »

NOTES ET CHOIX DE VARIANTES

1. Souverains légendaires de l'Inde, ancêtres de Rama.

2. Le guerrier, que Michelet, rappelle Jacques Robichez, nomme « le guerrier-dieu ».

3. Auteur légendaire du Râmâyana.

4. Selon les *Mémoires d'un veuf*, c'est le violoniste Ernest Boutier qui « aboucha » Louis-Xavier de Ricard (et par conséquent Verlaine) « avec M. Lemerre ».

5. Huysmans, dans *A Rebours*, décrira « le sonnet qu'il retournait, la queue en l'air, de même que certains poissons japonais en terre polychrome qui posent sur leur socle, les ouïes en bas ».

6. L'édition pré-originale (*L'Art*, 30 décembre 1865), donne : *douce et rieuse*,

7. « Aux batailles d'amour un champ de plume. »

8. Un manuscrit ayant appartenu au Dr Lucien-Graux comporte ici une strophe supplémentaire biffée :

> Le long des maisons, escarpe et putain
>   Se coulaient sans bruit,
> Guettant le joueur au pas argentin
> Et l'adolescent qui mord à tout fruit.

9. Les éditions de 1890 et 1891 donnent : *deux cent vingt-cinq pertuisaniers*

10. Poète ami de Verlaine, collaborateur du journal *L'Art*.

11. Une strophe supplémentaire a été intercalée ici, puis biffée sur le manuscrit Lucien-Graux :

> Et nous parlons dans le style
> Qu'Eugène Scribe a trouvé
> — Grand homme! — et qu'encor distille
> Monsieur Ernest Legouvé.

12. Edition de 1891 : *notre grandeur*

13. Dans l'édition pré-originale (*Revue du progrès...*, août 1863) le titre est précédé de SATIRETTES I et suivi de l'épigraphe : *Ab Jove principium*.

14. *Revue du progrès : Et les prés verts où vont errer les amoureux ?*

15. *Revue du progrès : En horreur, et voudrait qu'on les pulvérisât.*

16. Éditions de 1890 et 1894 : *De la mandoline :*

17. Dans l'édition pré-originale (*L'Art*, 16 décembre 1865), le titre de ce poème est : J'ai peur dans les bois.

18. Camarade de classe de Verlaine, Lepelletier publia en 1907 un livre qui est la source d'une bonne partie de nos renseignements biographiques : *Paul Verlaine, sa vie, son œuvre.*

19. Mot espagnol signifiant : *frère, moine.*

20. Pierre-et-Paul est le pseudonyme de Verlaine qui avait consacré un fascicule des *Hommes d'aujourd'hui* à lui-même. Il s'était aussi consacré une étude dans *Les Poètes maudits.*

21. Cette anecdote est rapportée par Madame Victor Hugo dans son *Victor Hugo raconté par un témoin de sa vie* (1863).

22. Première strophe de la pièce XXI des *Chansons pour elle* (1891).

23. L'édition originale porte : *paysage.* Nous adoptons la leçon du manuscrit retenue par Jacques Borel.

24. La statue de Lamartine, à Mâcon.

25. Dans son discours de remerciement aux jeunes artistes qui lui ont offert un sabre d'honneur, le Joseph Prudhomme d'Henri Monnier proclame : « Messieurs! ce sabre est le plus beau jour de ma vie. »

26. Vers de Sainte-Beuve dans les *Consolations.*

27. Ce personnage de Daumier incarnait le mouchard militariste et bonapartiste.

28. Petit manteau court qui couvrait les épaules et la poitrine.

29. L'édition originale porte *quelques larmes.* Nous suivons, avec Jacques Borel, la leçon du manuscrit.

30. Lire : Landry.

31. Verlaine donne à ce néologisme une forme plurielle assez surprenante.

32. Le mot *péché* est répété dans l'originale. Il s'agit sans aucun doute d'une erreur typographique.

33. Leçon du manuscrit, adoptée par Jacques Borel. L'édition originale porte : *à quelque distance,*

34. Parodie d'un vers de Houdar de la Motte :

L'ennui naquit un jour de l'uniformité.

35. Pièce imprimée dans le *Pall Mall Magazine* (avec quelques variantes) en mai 1894.

36. Ces classiques de la littérature érotique sont bien oubliés maintenant, à l'exception de *Gamiani* que l'on attribue souvent, sans grande justification, à Alfred de Musset (avec ou sans la collaboration de George Sand!) Il est assez piquant — et peu étonnant — de trouver les *Fleurs du mal* en cette compagnie.

37. Édition originale : *où un Damiens.* Sans vouloir juger sur le fond, nous avons restitué la leçon du manuscrit, syntaxiquement plus correcte.

38. Ce poème et des fragments du suivant parurent par les soins de Lepelletier, dans *L'Echo de Paris* du 10 mai 1891. On en retrouvera le texte dans l'édition des *Œuvres poétiques complètes* (Gallimard, Bibliothèque de la Pléiade, p. 125).

39. Personnage de la *Tentation de saint Antoine*, Crépitus est le dieu romain des « digestions retentissantes ».

40. Nous avons suivi Jacques Borel qui corrige la coquille de l'édition originale (*alliance*) par la leçon correcte du manuscrit.

41. Édition originale : *répéterais-je*. Nous adoptons la leçon du manuscrit.

42. Poème des *Fêtes galantes*.

43. *Feuilles d'automne*, XIV.

44. Vitry-en-Artois.

45. Dujardin.

46. Voir, dans *Les Mémoires d'un veuf*, l'épisode intitulé « La Morte ». Il comporte un certain nombre de variantes importantes et est beaucoup plus court.

47. Vers du poème VI de *Bonheur*.

48. *Sagesse*, I, 17.

49. Leçon du manuscrit adoptée par Jacques Borel. L'édition originale dit *saveur*.

50. Curieusement, Verlaine cite ici un vers de « Crimen amoris » (voir le « Dossier Verlaine-Rimbaud » dans notre édition des *Fêtes galantes*, Garnier-Flammarion, 1976).

51. Les *Chansons pour elle* (1891), inspirées par Eugénie Krantz.

52. Nina de Callias, épouse séparée du comte de Callias, tenait un salon littéraire.

53. Vers des *Romances sans paroles* (I, 6).

54. Tous les vers dont la référence n'est pas donnée ici sont des citations de *La Bonne Chanson*.

55. Il n'est pas absolument certain que ces trois poèmes soient contemporains de *La Bonne Chanson*.

56. Dernier vers des « Amants de Montmorency » de Vigny.

57. C'est le 18 mars que l'insurrection commença, par l'exécution, dans un jardin, des généraux Lecomte et Clément-Thomas.

58. Rimbaud arriva à Paris le 10 septembre.

59. Verlaine a déjà beaucoup utilisé cette citation (voir les « Textes sur Rimbaud » dans notre édition des *Fêtes galantes*, Garnier-Flammarion, 1976).

60. Verlaine mourut sans mener à bien ce projet.

61. « Seigneur, je t'aurai connu ! » (saint Augustin).

ARCHIVES DE L'ŒUVRE

I. CRITIQUE DES POÈMES SATURNIENS [1]

1. Ce texte de Verlaine paru sous ce titre dans *La Revue d'aujourd'hui*, le 15 mars 1890, ne figure pas dans l'édition des *Poèmes saturniens* de 1890, à laquelle il était évidemment destiné à servir de préface.

J'avais bien résolu, lorsque je me décidai, il y a neuf ans et plus, à publier *Sagesse* chez l'éditeur des Bollandistes, de laisser pour toujours de côté mes livres de jeunesse, dont les *Poèmes saturniens* sont le tout premier. Des raisons autres que littéraires me guidaient alors. Ces raisons existent toujours, mais me paraissent moins pressantes aujourd'hui.

Et puis je dus compter avec des sollicitations si bienveillantes, si flatteuses, vraiment! On n'est pas de bronze, non plus que de bois. Quoi qu'il en soit, succédant par l'ordre de réimpression aux *Fêtes galantes* et aux *Romances sans paroles*, voici, après vingt-deux ans de quelque oubli, mon œuvre de début, dans toute sa naïveté parfois écolière, non sans, je crois, quelque touche par-ci par-là du définitif écrivain qu'il se peut que je sois de nos jours.

On change, n'est-ce pas? Quotidiennement, dit-on. Mais moins qu'on ne se le figure peut-être. En relisant mes primes lignes, je revis ma vie contemporaine d'elles, sans trop ni peu de transitions en arrière, je vous en donne ma parole d'honneur et vous pouvez m'en croire; surtout ma vie intellectuelle, et c'est celle-là qui a le moins varié en moi, malgré des apparences. On mûrit et on vieillit avec et selon le temps, voilà tout. Mais le bonhomme, le monsieur, est toujours le même au fond.

J'avais donc, dès cette lointaine époque de bien avant 1867, car quoique les *Poèmes saturniens* n'aient paru qu'à cette dernière date [1], les trois quarts des pièces qui les

---

1. On sait qu'ils ont paru, en réalité, à l'automne de 1866 (achevé d'imprimer : 20 octobre).

composent furent écrites en rhétorique et en seconde, plusieurs même en troisième (pardon!) j'avais, dis-je, déjà des tendances bien décidées vers cette forme et ce fond d'idées, parfois contradictoires, de rêve et de précision, que la critique, sévère ou bienveillante, a signalés, surtout à l'occasion de mes derniers ouvrages.

De très grands changements d'objectif en bien ou en mal, en mieux, je pense, plutôt, ont pu, correspondant aux événements d'une existence passablement bizarre, avoir eu lieu dans le cours de ma production. Mes idées en philosophie et en art se sont certainement modifiées, s'accentuant de préférence dans le sens du concret, jusque dans la rêverie éventuelle. J'ai dit :

> *Rien de plus cher que la chanson grise*
> *Où l'indécis au précis se joint.*

Mais il serait des plus faciles à quelqu'un qui croirait que cela en valût la peine de retracer les pentes d'habitude devenues le lit, profond ou non, clair ou bourbeux, où s'écoulent mon style et ma manière actuels, notamment l'un peu déjà libre versification - enjambements, et rejets dépendant plus généralement des deux césures avoisinantes, fréquentes allitérations, quelque chose comme de l'assonance souvent dans le corps du vers, rimes plutôt rares que riches, le mot propre écarté des fois à dessein ou presque. En même temps la pensée triste et voulue telle ou crue voulue telle. En quoi j'ai changé partiellement. La sincérité, et à ses fins, l'impression du moment suivie à la lettre, sont ma règle préférée aujourd'hui. Je dis préférée, car rien d'absolu : tout vraiment est, doit être nuance.

J'ai aussi abandonné, momentanément, je suppose, ne connaissant pas l'avenir et surtout n'en répondant pas, certains choix de sujets : les historiques et les héroïques, par exemple. Et par conséquent le ton épique ou didactique pris forcément à Victor Hugo, un Homère de seconde main, après tout, et plus directement encore à M. Leconte de Lisle qui ne saurait prétendre à la fraîcheur de source d'un Orphée ou d'un Hésiode, n'est-il pas vrai ? Quelles que fussent, pour demeurer toujours telles, mon admiration du premier et mon estime esthétique de l'autre, il ne m'a bientôt plus convenu de faire du Victor Hugo ou du M. Leconte de Lisle, aussi bien peut-être et *mieux* (ça s'est vu chez d'autres ou du moins il s'est dit que ça s'y est vu), et j'ajoute que pour cela il m'eût fallu comme à d'autres l'éternelle jeunesse de *certains* Parnassiens, qui ne peut reproduire que ce qu'elle a lu et dans la forme où elle l'a lu.

Ce n'est pas au moins que je répudie les Parnassiens, bons camarades quasiment tous, et poètes incontestables pour la plupart au nombre de qui je m'honore d'avoir compté pour quelque peu. Toutefois je m'honore non moins, sinon plus d'avoir, avec mon ami Stéphane Mallarmé et notre grand Villiers, particulièrement plu à la nouvelle génération et à celle qui s'élève : précieuse récompense, aussi, d'efforts en vérité bien désintéressés.

Mais plus on me lira, plus on se convaincra qu'une sorte d'unité relie mes choses premières à celles de mon âge mûr : par exemple les « Paysages tristes » ne sont-ils pas en quelque sorte l'œuf de toute une volée de vers chanteurs, vagues ensemble et définis, dont je suis peut-être le premier en date oiselier ? On l'a imprimé du moins. Une certaine lourdeur, poids et mesure, qu'on retrouvera dans mon volume en train, *Bonheur*, ne vous arrête-t-elle pas, sans trop vous choquer, j'espère, ès les très jeunes « Prologue » et « Épilogue » du livre qu'on vous offre à nouveau ce jourd'hui ? Plusieurs de mes poèmes postérieurs sont frappés à ce coin qui, s'il n'est pas le bon, du moins, me semble idoine en ces lieux et places. L'alexandrin a ceci de merveilleux qu'il peut être très solide, à preuve Corneille, ou trop fluide, avec ou sans mollesse, témoin Racine. C'est pourquoi, sentant ma faiblesse et tout l'imparfait de mon art, j'ai réservé pour les occasions harmoniques ou mélodiques ou analogues ou pour telles ratiocinations compliquées des rythmes inusités, impairs pour la plupart, où la fantaisie fût mieux à l'aise, n'osant employer le mètre sacro-saint qu'aux limpides spéculations, qu'aux énonciations claires, qu'à l'exposition rationnelle des objets, invectives ou paysages.

Plusieurs parmi les très aimables poètes nouveaux qui m'accordent quelque attention regrettent que j'aie aussi

renoncé à des sujets « gracieux », comédie italienne et berge-
rades contournées, oubliant que je n'ai plus vingt ans et
que je ne jouis pas, moi, de l'éternelle jeunesse dont je
parlais plus haut, sans trop de jalousie pourtant. La chute
des cheveux et celle de certaines illusions, même si
sceptiques, défigurent bien une tête qui a vécu, — et
intellectuellement aussi, parfois même, la dénatureraient.
L'amour physique par exemple, mais c'est d'ordinaire tout
pomponné, tout frais, satin et rubans et mandoline,
rose au chapeau, des moutons pour un peu, qu'il apparaît
au « printemps de la vie ». Plus tard, on revient des
femmes, et vivent alors, quand pas la Femme, épouse ou
maîtresse, *rara avis !* les nues filles, pures et simples,
brutales et vicieuses, bonnes ou mauvaises, plus volontiers bonnes. Et puis il va si loin parfois, l'amour
physique, dans nos têtes d'âge mûr, quand nos âges
mûrs ne sont pas résignés, y ayant ou non des raisons.

Mais quoi donc ! l'âge mûr a, peut avoir ses revanches,
et l'art aussi, sur les enfantillages de la jeunesse, ses
nobles revanches, traiter des objets plus et mieux en
rapport, religion, patrie, et la science, et soi-même bien
considéré sous toutes formes, ce que j'appellerai de
l'élégie sérieuse en haine de ce mot, psychologie.
Je m'y suis efforcé quant à moi, et j'aurai laissé mon
œuvre personnelle en quatre parties bien définies, *Sagesse,
Amour, Parallèlement,* — et *Bonheur,* qui est sous presse,
ou tout comme.

Et je vais repartir pour des travaux plus en dehors,
roman, théâtre, ou l'histoire et la théologie, sans oublier
les vers. Je suis à la fourche, j'hésite encore.

Et maintenant je puis, je dois peut-être, puisque c'est
une responsabilité que j'assume en assumant de réimpri-
mer mes premiers vers, m'expliquer très court, tout doucement sur des matières toutes de métier avec de jeunes
confrères qui ne seraient pas loin de me reprocher un
certain illogisme, une certaine timidité dans la conquête
du « vers libre », qu'ils ont, croient-ils, poussée, eux,
jusqu'à la dernière limite.

En un mot comme en cent, j'aurai le tort de garder un
mètre, et dans ce mètre quelque césure encore, et au
bout de mes vers des rimes. Mon Dieu, j'ai cru avoir

assez brisé le vers, l'avoir assez affranchi, si vous préférez, en déplaçant la césure le plus possible et quant à la rime, m'en être servi avec quelque judiciaire pourtant, en ne m'astreignant pas trop, soit à de pures assonances, soit à des formes de l'écho indiscrètement excessives.

Puis — car n'allez pas prendre au pied de la lettre l' « Art poétique » de *Jadis et Naguère*, qui n'est qu'une chanson, après tout, JE N'AURAI PAS FAIT DE THÉORIE!

C'est peut-être naïf, ce que je dis là, mais la naïveté me paraît être un des plus chers attributs du poète, dont il doit se prévaloir à défaut d'autres.

Et jusqu'à nouvel ordre je m'en tiendrai là. Libre à d'autres d'essayer plus. Je les vois faire et s'il faut, j'applaudirai.

Voici toujours, avec deux ou trois corrections de pure nécessité, les *Poèmes saturniens* de 1867, que je ne regrette pas trop d'avoir écrits alors. A très prochainement la *Bonne Chanson* (1870) et c'en sera fini de la réimpression de mes péchés d'antan.

II. QUELQUES JUGEMENTS CONTEMPORAINS

Stéphane Mallarmé :

Monsieur et cher poète,

Permettez-moi de voir dans l'attention exquise que vous avez eue de m'envoyer votre volume, sans me connaître, autant qu'une sympathie littéraire, le pressentiment merveilleux d'une amitié ignorée.

Vous êtes venu au-devant d'un vœu de vous presser la main, que j'avais formé après la lecture de vos vers, dans le *Parnasse.* Je vous remercie doublement, — et bien plus, car ces *Poèmes saturniens* m'ont sauvé pendant quelques jours de l'ineptie où me tiennent les tracas d'une installation, et relevé des hontes de la réalité.

Ce n'est donc plus à Tournon que votre livre m'a trouvé, mais à Besançon, au milieu des cadres retournés, des meubles brisés, — des visites (nécessaires pour obtenir de la tranquillité de ceux de qui dépend mon sort et mon travail). Je me sens si fatigué, n'ayant pas encore une chambre, meublée de ma pensée, mais vivant dans un corridor, que je préférerais les dernières luttes à celle d'écrire une lettre. Il me semble alors que je croise le fer avec un ennemi, tant je souffre de paraître tel que je suis à présent. Permettez-moi donc de laisser mon esprit dans sa gaine amassée de toiles d'araignées et de poussière, et ne m'en veuillez pas de la torpeur de mes phrases.

Pour continuer mes comparaisons spadassines (pardon ! mais voilà plus d'un mois que je n'ai fait une comparaison!), je vous dirai avec quel bonheur j'ai vu que de toutes les vieilles formes semblables à des favorites usées, que les poètes héritent les uns des autres, vous avez cru devoir commencer par forger un métal vierge et neuf, de belles lames, à vous, plutôt que de continuer à fouiller ces ciselures effacées, laissant un ancien et vague aspect aux choses. Vous vous êtes fait maintenant des armes, que vous serez libre d'approfondir (elles ont parfois un peu cet air d'audace qui ne sied si bien qu'à un premier volume). Mais votre livre est, dans toute sa beauté et l'acception romantique, un premier volume et qui m'a fait, bien des soirées, regretter ma vanité de ne livrer mon œuvre qu'à la fois, parfait, et quand je ne pourrai plus que décroître. Et, de plus, j'aimerais tant à échanger contre votre offre autre chose que cette misérable lettre banale à laquelle je n'appose ma signature que pour trouver encore une fois un prétexte à vous presser la main, bien du fond de mon cœur (et *amicalement*, vous l'acceptez ?) en attendant une bonne causerie, dans un meilleur temps, — qui sera déjà meilleur, fussé-je même condamné pour toujours à ma bêtise actuelle, pour cela seulement que je vous verrai! A présent je n'aurais que le courage de vous réciter tous les vers que je sais par cœur des *Poèmes saturniens*, aimant mieux, tant je suis hors de moi encore, me suspendre à la volupté qu'ils me donnent, que de l'expliquer.

Vous aurez, après mon travail de cet hiver, une vraie lecture, et jusque-là, vous vivrez autour de moi comme mes amis absents.

Votre tout dévoué,

STÉPHANE MALLARMÉ

Rue de Poithune, 36, *à Besançon.* [1866]

Leconte de Lisle :

Vos *Poèmes saturniens* vous attireront, indubitablement, mon cher ami, la haine et les injures des imbéciles qui ne louent que leurs semblables, non de parti-pris, ce qui supposerait en eux une réflexion quelconque, mais grâce au flair purement animal dont ils sont affligés.

Vos *Poèmes* sont d'un vrai poète, d'un artiste très habile déjà et bientôt maître de l'expression.

LECONTE DE LISLE,
Lettre du 5 novembre 1866.

Barbey d'Aurevilly :

Un Baudelaire puritain, — combinaison funèbrement drolatique, — sans le talent de M. Baudelaire, avec des reflets de M. Hugo et d'Alfred de Musset, ici et là. Tel est M. Paul Verlaine. Pas un zeste de plus ! Il a dit quelque part, en parlant de je ne sais qui : cela, du reste, n'importe guère.

. . . . Elle a
L'inflexion des voix chères qui *se sont tues !*

Quand on écoute M. Verlaine, on désirerait qu'il n'eût jamais d'autre inflexion que celle-là.

BARBEY d'AUREVILLY, « Les trente-sept médaillonnets du Parnasse contemporain », *Le Nain jaune,* 7 novembre 1866.

Théodore de Banville :

Pardonnez-moi, mon cher Verlaine, si je vous écris si tardivement ! J'ai tant souffert toute cette semaine que je suis littéralement brisé. Mais j'avais lu dès le premier jour, j'ai relu dix fois de suite vos poèmes et mon impression est toujours bonne et toujours meilleure. J'ai été invinciblement empoigné et comme public et comme artiste. Aussi suis-je certain que vous êtes un poète et que votre originalité est réelle, car, heureusement, nous sommes tous assez blasés sur toutes les jongleries possibles pour ne pouvoir être pris que par la poésie vivante... Parmi vos poèmes, il en est qui me paraissent être de complets chefs-d'œuvre, d'autres que j'aime beaucoup moins : mais nulle part, vous ne tombez dans le vague, ni dans le chic, plus épouvantable encore. Peut-être vous étonnerai-je en vous disant que : *Jésuitisme, Femme et chatte,* et la *Chanson des Ingénues,* trois pièces qui se suivent, sont parmi celles que je préfère à toutes les autres. Elles sont le produit d'une composition prodigieusement habile, l'image y est suivie sans défaillance... Grâce au ciel, je ne suis pas un juge; je suis sûr cependant de ne point me tromper en vous disant que vous tiendrez parmi les poètes contemporains une des places les plus solides et les meilleures...

THÉODORE DE BANVILLE,
Lettre du 11 novembre 1866.

Charles Yriarte :

Les *Poèmes saturniens* de M. Paul Verlaine sont encore un début. L'auteur est jeune, et c'est son premier pas, *c'est sa première larme et son premier sourire.* Pourquoi saturniens ? C'est suffisamment fou pour que cela intéresse, et par-ci par-là ce romantique de la dernière heure, qui doit avoir vingt ans, a rencontré la grâce :

> Nous sommes les Ingénues
> Aux bandeaux plats, à l'œil bleu
> Qui vivons, presque inconnues,
> Dans les romans qu'on lit peu.

Ce *croquis parisien*, dans le goût de la ballade à la Lune, est particulièrement extravagant :

> La lune plaquait ses teintes de zinc
>   Par angles obtus.
> Des *bouts* de fumée en forme de cinq
> Sortaient drus et noirs des hauts toits pointus.

Pourquoi des *bouts*, poète ? Serait-ce en haine du *flot* classique ?

CHARLES YRIARTE,
Le Monde illustré, 17 novembre 1866.

Charles Bataille :

M. Paul Verlaine me fait l'honneur de m'adresser ses *Poèmes saturniens*, et c'est un de mes principes de lire les vers.

J'ignore l'opinion de M. Adrien Marx en ces matières délicates; mais je m'en passe, et j'extrais du volume de M. Paul Verlaine le *croquis parisien* qui suit :

> La lune plaquait ses teintes de zinc
> Par angles obtus.
> Des bouts de fumée en forme de cinq
> Sortaient drus et noirs des hauts toits pointus.
>
> Le ciel était gris. La bise pleurait
> Ainsi qu'un basson.
> Au loin, un matou frileux et discret
> Miaulait d'étrange et grêle façon.
>
> Moi, j'allais, rêvant du divin Platon
> Et de Phidias,
> Et de Salamine et de Marathon,
> Sous l'œil clignotant de deux becs de gaz.

Allons, voilà qui est entendu! La fumée a forme de cinq, et les becs de gaz vont deux à deux. Cette façon d'ode, qui n'est qu'un labourage rythmique, dur et sec, n'en va pas mieux.

Enfin, les *Poèmes saturniens* sont une considération irréfutable de la vieille mythologie. Il demeure démontré, sans contestation dorénavant possible, que Saturne dévorait ses enfants.

> CHARLES BATAILLE,
> *Le Mousquetaire*, 27 novembre 1866.

Réponse de Verlaine :

A M. le Directeur du Journal Le Mousquetaire :

Il n'est pire lecteur, Monsieur, que celui qui ne veut pas lire. Mes pauvres *Poèmes saturniens* ont bien assez comme cela de leurs propres « niaiseries sur échasses », sans qu'encore on y en ajoute bénévolement.

Cela est pour vous prier Monsieur, d'être assez juste pour rectifier, dans une de vos prochaines causeries du *Mousquetaire*, la petite erreur typographique qui me fait rêver au divin Platon, etc.

Sous l'œil clignotant de DEUX becs de gaz.

Il y a dans mon livre :

Sous l'œil clignotant des BLEUS becs de gaz

ce qui est encore un peu plus « dur et sec » peut-être, mais, du moins, me disculpe de l'absurdité grande de faire « aller deux par deux » des becs de gaz qui n'en peuvent mais.

Vous ferez droit à ma réclamation, je n'en doute pas, et voudrez bien agréer, monsieur, etc.

PAUL VERLAINE,
Le Mousquetaire, 29 novembre 1866.

Sainte-Beuve :

Monsieur et cher poète,

J'ai voulu lire les *Poèmes saturniens* avant de vous remercier : le critique en moi et le poète se combattent à votre sujet. Du talent, il y en a, et je le salue avant tout. Votre aspiration est élevée, vous ne vous contentez pas de l'inspiration, cette chose fugitive : vous l'avez dit dans votre Épilogue et en paroles qui ne s'oublient pas :

Ce qu'il nous faut, à nous les suprêmes poètes
Qui vénérons les dieux et qui n'y croyons pas, etc.

Vous avez, comme paysagiste, des croquis, des effets de nuit tout à fait piquants. Comme tous ceux qui sont dignes de mâcher le laurier, vous visez *à faire ce qui n'a pas été fait*. C'est bien. Et maintenant je vous dirai, au risque de paraître inconséquent avec Joseph Delorme, un furieux oseur lui-même en son temps, que je ne puis admettre des coupes, des césures comme il y en a aux pages 18, 27, 100, 108 (vous les retrouverez bien) : l'oreille la plus exercée à la poésie s'y déroute et ne peut s'y reconnaître. Il y a limite à tout. Je ne puis admettre ce mot retrait (page 93) qui décèle une mauvaise odeur.

J'aime assez le *Dahlia ;* j'aime surtout lorsque vous appliquez votre manière grave à des sujets qui l'appellent et qui la comportent *(César Borgia* et le *Philippe II)*. Vous n'avez pas à craindre, par endroits, d'être plus harmonieux et un peu plus agréable, comme aussi un peu moins noir et moins dur, en fait d'émotions. Ne prenons point ce brave et pauvre Baudelaire comme point de départ pour aller encore au-delà. Et puis, le vers, le son, n'est pas exactement le marbre ni la pierre à graver : je le dirais à Gautier lui-même. J'aime comme emblème et image vos stances de *Çavitri* et le vers qui termine :

Mais comme elle dans l'âme ayons un haut dessein...

C'est le cas maintenant d'appliquer et de pratiquer ces nobles stances, puisqu'une guerre, me dit-on, est engagée.

Poursuivez, monsieur et cher poète, sans vous détourner, en assouplissant votre manière sans l'amollir, en ne l'affectant pas en elle-même et pour elle-même, mais en l'étendant et en l'adaptant à de dignes sujets.

Agréez mes remerciements et mes sympathies.

SAINTE-BEUVE,
Lettre du 10 décembre 1866.

Henri Nicolle :

Tout autre se montre M. Paul Verlaine en ses *Poèmes saturniens*. Pourquoi *Saturniens ?* Dans l'épigraphe du volume, le poète nous dit que

Pour ceux-là qui sont nés sous le signe Saturne

. . . .

L'imagination inquiète et débile
Vient rendre nul en eux l'effort de la raison.

Je ne chicanerai pas Monsieur Verlaine, c'est à lui de savoir sous quel astre, il est né ; à coup sûr, en le prenant ainsi ses vers sont ceux d'un *saturnien*. Dans les suivants, qui appartiennent au prologue du recueil, je vois bien la rime, mais je cherche la raison.

> Dans ces temps fabuleux, les limbes de l'histoire,
> Où les fils de Raghu, beaux de fard et de gloire,
> Vers la Ganga régnaient leur règne étincelant,
> Et, par l'intensité de leur vertu troublant
> Les Dieux et les Démons et Bhagavat lui-même,
> Augustes, s'élevaient jusqu'au Néant suprême
> . . . .
> Une connexité grandiosement alme
> Liait le Kçhatrya serein au Chanteur calme,
> Valmiki l'excellent à l'excellent Rama :
> Telles sur un étang deux touffes de padma.

Au premier temps du daguerréotype, une caricature représentait un bonhomme qui tournait une plaque dans tous les sens à la lumière. « Si on enlevait ces petites taches on ferait un miroir bien net, disait-il. » — Les taches étaient le portrait confus. — Qu'on ôte en ces vers, pourrions-nous dire, un peu du français qui les gênerait pour comprendre, et un habitant du Ganga — Ganga, je le présume, veut dire Gange — verra clair dans ce passage.

Faites de même pour le grec, lorsque M. Verlaine parle de la Grèce avec cette recherche d'orthographe :

> Homéros, s'il n'a pas, lui, manié le glaive,
> Fait retentir, clameur immense qui s'élève,
> Vos échos jamais las, vastes postérités,
> D'Hektôr, et d'Odysseus, et d'Akhilleus chantés.

S'il allait à Londres, notre poète chanterait assurément qu'il a parcouru de larges *streets* et qu'il a vu le palais de la *queen*.

Le mot, d'ailleurs, ne lui fait pas peur. L'histoire, avec précaution, nous donne à entendre que le roi Philippe II s'est vu, dans sa maladie dernière, envahi par ces petits hôtes qui d'ordinaire n'habitent que les chevelures négligées. M. Verlaine n'y met pas tant de façons, et, dans sa *Mort de Philippe II*, en ses tercets pompeux, appelle l'aptère parasite par son nom :

> Dans le lit, un vieillard d'une maigreur insigne
> Égrène un chapelet, qu'il baise par moment,
> Entre ses doigts crochus comme des brins de vigne

J'en passe un :

> — Et son haleine pue épouvantablement

> Dans sa barbe couleur d'amarante ternie,
> Parmi ses cheveux blancs où luisent des tons roux
> Sous son linge bordé de dentelle jaunie,

> Avides, empressés, fourmillants, et jaloux
> De pomper tout le sang malsain du mourant fauve,
> En bataillons serrés vont et viennent les poux.

Notez que cette pièce est une des plus remarquables du volume. Le roi, sur son lit de mort, agonise; au dehors le soleil se couche, en jetant de sanglantes lueurs sur la nature; la procession des moines portant le saint viatique traverse les rues et monte au palais. Les courtisans livrent passage et s'agenouillent; puis, le médecin du corps se retirant, laisse seul à seul dans l'alcôve le prêtre et le roi. Philippe confesse en tremblant les actes sanguinaires de sa vie, que le remords lui remet en mémoire à ce moment suprême. Sire, répond l'inquisiteur :

> « Brûler des juifs, mais c'est une dilection!
> « Vous fûtes, ce faisant, orthodoxe et fidèle. »

> — « Les Flamands, révoltés contre l'Église même,
> « Furent très justement punis, à votre los,
> « Et je m'étonne, ô Roi, de ce doute suprême. »

Et ainsi de suite. Après quoi le roi reçoit l'hostie; sa tête se replonge dans ses coussins; il sourit aux *cieux reconquis;* le râle commence,

> Et puis plus rien;

Et puis, après ce tableau qui ne manque pas de grandeur, voilà le parti pris et l'image dégoûtante qui reviennent :

> et puis, sortant par mille trous
> Ainsi que des serpents frileux de leur repaire,

Sur le corps froid les vers se mêlèrent aux poux.
— Philippe Deux était à la droite du Père.

Le poème ne dit pas si Dieu le père ne s'est pas aussitôt
retourné à gauche. Le lecteur ne s'en fait faute.

Ah! le *Parnassiculet* l'a pris sur le ton qu'il fallait.
Sans doute Alceste aurait eu sa boutade et sa chanson.

Le méchant goût du siècle en cela me fait peur
Nos pères, tous grossiers, l'avaient beaucoup meilleur,
Et je prise bien moins tout ce que l'on admire
Qu'une vieille chanson que je m'en vais vous dire :
    C'est le petit Charligodet
    Qui a des poux plein son bonnet.
    Il les tourne, il les vire
    Il les fait crever de rire.
La rime n'est pas riche et le style est vieux,
Mais ne voyez-vous pas que cela vaut bien mieux,

et que ces images répugnantes sur le mode solennel, pour
être tolérées, doivent être tournées sur le mode naïf
et sans façon; qui plaisante bien fait tout passer, et qui
fait sourire est aimable!

    ˙ C'est le petit Charligodet...

Mais à quoi bon ? Ne savons-nous pas ce que c'est
que ces jeunes effervescences. Les vers que j'ai signalés,
tout pleins de petites bêtes qu'ils soient, et les autres
plus ou moins saturniens, précieux dans une bizarrerie
cherchée, sont — que M. Paul Verlaine nous permette
de le lui dire — gourme de poète, mais de poète fort;
maintenant qu'il l'a jetée, je l'attends à son second
volume.

Henri Nicolle,
L'Étendard, 8 janvier 1867.

Anatole France :

L'impression que produit la lecture des *Poèmes saturniens* est à peu près celle qu'on ressent à feuilleter une
danse macabre du XVe siècle. C'est tournoyant, vertigi-
neux, fou et grave.

Un *Saturnien* conduit la ronde,

> Or ceux-là qui sont nés sous le signe Saturne...
> Ont entre tous, d'après les grimoires anciens,
> Bonne part de malheur et bonne part de bile ;
> L'imagination inquiète et débile
> Vient rendre nul en eux l'effort de la raison.

Les *Poèmes saturniens* ont subi l'influence maligne de l'astre, ils sont dénués de raison, de cette raison du moins qui caractérise Boileau, M. Ponsard et M. Prudhomme, de cette raison qui fait qu'on est toujours rasé de frais et que, architecte, on bâtit la rue Rivoli.

M. Verlaine compte pour peu l'usage, la tradition, « le génie de la langue et les exigences du goût français ». Il a une sainte haine du Commun et du Convenu « fi de l'aimable » s'écrie-t-il.

> « Et je hais toujours la femme jolie,
> « La rime assonante et l'ami prudent. »

C'est par là qu'il est poète, c'est par là qu'il est artiste.

Artiste comme un maître imagier, comme un ciseleur florentin ; patient et infatigable. C'est la loi : il faut très patiemment fouiller pour donner la forme immortelle au Camée comme au pylône et pouvoir dire ensuite : « Ceci vivra ! »

Verlaine a magistralement exprimé ces choses en fermant son livre (Épilogue, p. 157) :
Ce qu'il nous faut à nous...

A nous qui ciselons les mots comme des coupes
Et qui faisons des vers émus très-froidement,
A nous qu'on ne voit point les soirs aller par groupes
Harmonieux au bord des *lacs* et nous pâmant.

Ce qu'il nous faut à nous, c'est, aux lueurs des lampes,
La science conquise et le sommeil dompté,
C'est le front dans les mains du vieux Faust des estampes,
C'est l'Obstination et c'est la Volonté !

C'est la Volonté sainte, absolue, éternelle,
Cramponnée au projet comme un noble condor
Aux flancs fumants de peur d'un buffle, et d'un coup d'aile
Emportant son trophée à travers les cieux d'or !

La profession de foi est formelle. M. Verlaine avoue ne s'être pas senti une seule fois, arracher de son fauteuil par l'*Enthousiasme, aigle vainqueur* et n'avoir pas eu besoin le moins du monde de se cramponner à sa table pour n'être, comme Ganymède, jeté *aux pieds des immortels*.

Ainsi, lecteurs austères qui dédaignez la forme pour ne vous attacher qu'à la pensée, n'ouvrez pas les *Poèmes saturniens*. Verlaine est un styliste; ce pauvre poète a besoin de mots pour exprimer sa pensée et s'obstine à les choisir; et, comme il juge que la meilleure forme est la seule bonne, cela lui crée un travail effroyable.

J'avoue, que pour ma part, il m'est impossible de goûter une idée à moins qu'elle ne soit exprimée, qu'il me semble aussi insensé de séparer la forme du fond, qu'un parfum d'une cassolette; enfin le poète qui traduit sa pensée avec des mots est, m'est avis, comme le peintre qui fait le portrait d'une belle inconnue : la pensée de l'un et le modèle de l'autre ne nous apparaîtront que tels que la plume et le pinceau nous les auront faits.

C'est pour cela que je sais à M. Verlaine grand gré du souci qu'il montre de la Forme.

La sienne n'est pas parfaite assurément, sa langue, très-énergique et très-gracieuse parfois, est aussi par moments obscure et entortillée.

Son vers très-savant gagnerait souvent à plus de simplicité. Il fait des tours de force. La muse comme une belle femme doit avoir le col flexible et les reins souples, mais il est inutile qu'elle prenne à chaque instant ses talons avec ses dents, comme il est d'usage parmi les acrobates. Le vers de M. Verlaine n'est pas souple, il est désarticulé, sa coupe ordinaire devient la grande exception tant l'auteur a de coupes nouvelles à sa disposition.

Que de richesses aussi pour l'avenir! Quelle promesse de science et d'originalité!

Plus qu'une promesse. Lisez la mort de Philippe II.

C'est de l'école de Velasquez, le dernier trait est superbe :

« Sur le corps froid les vers se mêlèrent aux poux.
— Philippe-Deux était à la droite du père. »

Il y a de l'aqua-fortiste dans Verlaine, son *César Borgia* est une bonne eau-forte.

Tout saturnien qu'il est Verlaine rit quelquefois, de M. Prudhomme, par exemple :

« Et le printemps en fleurs brille sur ses pantoufles. »

Mais le rire du poète ressemble plus, d'ordinaire, à la grimace artistique et fantaisiste d'une gargouille d'église, qu'à l'épanouissement béat du bien-être, sur le visage rubicond d'un homme heureux.

Les *Poèmes saturniens* sont l'œuvre d'un artiste véritable, convaincu, austère, mais un peu enfiévré, pas assez calme. Je lui demanderai ce qu'il demande lui-même à sa « charmante ».

« De la douceur, de la douceur, de la douceur. »

Puisqu'il a la Force, qu'il ait la Sérénité sa compagne éternelle. Alors, plus calme, il ne dépassera pas le but. Sa Muse n'aura plus de ces bonds de panthère et ces sauts de ouistiti qui fatiguent et déconcertent. Elle marchera de ce pas qui la fera reconnaître déesse.

A. Thibault [Anatole France],
Le Chasseur bibliographe, février 1867.

TABLE DES MATIÈRES

COLLECTION GARNIER-FLAMMARION BROCHÉE

GF — TEXTE INTÉGRAL — GF

6217-1977. — Impr.-Reliure Maison Mame, Tours.
Nº d'édition 9479. — 1er trimestre 1977. — PRINTED IN FRANCE.

1) Took train to Geneva
2) Marne River